La vie nomade et le

d'Angleterre au 14e siecle

J. J. Jusserand

Alpha Editions

This edition published in 2023

ISBN : 9789357952767

Design and Setting By
Alpha Editions
www.alphaedis.com
Email - info@alphaedis.com

Contents

LA VIE NOMADE ET LES ROUTES D'ANGLETERRE AU MOYEN AGE (XIVe SIÈCLE)

«O, dist Spadassin, voici un bon resveux; mais
allons nous cacher au coin de la cheminée et là
passons avec les dames nostre vie et nostre temps
à enfiler des perles ou à filer comme Sardanapalus.
Qui ne s'adventure n'a cheval ni mule, ce
dist Salomon.»
(*Vie de Gargantua.*)

Il y a peu de nomades aujourd'hui; les petits métiers qui s'exerçaient le long des routes, dans chaque village rencontré, disparaissent devant nos procédés nouveaux de grande fabrication. De plus en plus rarement on voit le colporteur déboucler sa balle à la porte des fermes, le cordonnier ambulant réparer sur le bord des fossés les souliers qui, le dimanche, remplaceront les sabots, le musicien venu on ne sait d'où chanter aux fenêtres ses airs monotones interminables; les pèlerins de profession n'existent plus; les charlatans même perdront bientôt leur crédit. Au moyen âge, il en était tout autrement; beaucoup d'individus étaient voués à une existence errante et commençaient au sortir de l'enfance le voyage de leur vie entière. Les uns au grand soleil, sur la poussière des chemins fréquentés, promenaient leurs industries bizarres; les autres dans les sentiers détournés ou même à travers les taillis cachaient leur tête aux gens du shériff, une tête soit de criminel, soit de fugitif, «*tête de loup, que tout le monde pouvait abattre*,» selon la terrible expression d'un juriste anglais du treizième siècle. Parmi ceux-ci, beaucoup d'ouvriers en rupture de ban, malheureux et tyrannisés dans leurs hameaux, qui se mettaient en quête de travail par tout le pays, comme si la fuite pouvait les affranchir: «*Service est en le sank* [1].» leur répondait le magistrat; parmi ceux-là, des colporteurs chargés de menues marchandises, des pèlerins qui de Saint-Thomas à Saint-Jacques allaient quêtant sur les routes et vivant d'aumônes, des pardonneurs, nomades étranges, qui vendaient au commun peuple les mérites des saints du paradis, des frères mendiants et des prêcheurs de toute sorte qui, suivant l'époque, faisaient entendre aux portes des églises des harangues passionnées ou les discours égoïstes les plus méprisables. Toutes ces vies avaient ce caractère commun que, dans les grands espaces de pays où elles s'écoulaient, et où d'autres vies se consumaient immobiles, tous les jours sous le même ciel et dans le même labeur, elles servaient comme de lien entre ces groupes éloignés que les lois et les mœurs rattachaient au sol. Poursuivant leur œuvre singulière, ces errants, qui avaient tant vu et connu tant d'aventures, servaient à donner aux humbles qu'ils rencontraient sur leur passage quelque idée du vaste monde à eux inconnu. Avec beaucoup de croyances fausses et de fables, ils faisaient entrer dans le cerveau des immobiles certaines notions d'étendue et de vie active qu'ils n'auraient guère eues sans cela; surtout ils fournissaient aux gens attachés au sol des nouvelles de leurs frères de la province voisine, de leur état de souffrance ou de bonheur, et on les enviait alors ou on les plaignait et on se répétait que c'étaient bien là des frères, des amis à appeler au jour de la révolte.

Dans un temps où pour la foule des hommes les idées se transmettaient oralement et voyageaient avec ces errants par les chemins, les nomades servaient réellement de trait d'union entre les masses humaines des régions diverses. Il y aurait donc pour l'historien un intérêt très grand à connaître exactement quels étaient ces canaux de la pensée populaire, quelle vie menaient ceux qui en remplissaient la fonction, quelle influence et quelles mœurs ils avaient. Nous étudierons les principaux types de cette race et nous les choisirons en Angleterre au quatorzième siècle, dans un pays et à une époque où leur importance sociale a été considérable. L'intérêt qui s'attache à eux est naturellement multiple; d'abord la personne même de ces pardonneurs, de ces pèlerins de profession, de ces ménestrels, espèces éteintes, est curieuse à examiner de près; ensuite et surtout l'état de leur esprit et la manière dont ils exerçaient leurs pratiques se rattachent étroitement à l'état social tout entier d'un grand peuple qui venait alors de se former et d'acquérir les traits et le caractère qui le distinguent encore aujourd'hui. C'est en effet l'époque où, à la faveur des guerres de France et des embarras incessants de la royauté, les sujets d'Édouard III et de Richard II gagnent un parlement semblable à celui que nous voyons fonctionner à l'heure présente; c'est celle où, dans la vie religieuse, l'indépendance de l'esprit anglais s'affirme par les réformes de Wyclif, les statuts du clergé et les protestations du Bon Parlement; celle où, dans les lettres, Chaucer inaugure la série des grands poètes d'Angleterre; celle enfin où, du noble au vilain, un rapprochement se fait qui amènera sans révolution excessive cette vraie liberté que nous avons si longtemps enviée à nos voisins. Cette période est décisive dans l'histoire du pays. On verra que dans toutes les grandes questions débattues au cloître, au château ou sur la place publique, le rôle peu connu des nomades n'a pas été insignifiant.

Il faut examiner d'abord le lieu de la scène, ensuite les événements qui s'y passent, savoir ce que sont les routes, puis ce que sont les êtres qui les fréquentent.

PREMIÈRE PARTIE
LES ROUTES

CHAPITRE I
LES ROUTES ET LES PONTS

Idée générale de leur entretien.—Tous les propriétaires sont chargés de les réparer.—Caractère religieux de cette obligation.

Les frères pontifes.—Indulgences pour encourager à la construction des ponts.—Rôle des guilds.—Le pont de Stratford-at-Bow.—Le pont de Londres.—Ressources affectées à la préservation des ponts: les droits de péage.—Les offrandes à la chapelle.—Dotation des ponts.—Enquêtes sur leur état.

Les routes.—Leur entretien.—Leur état habituel.—Les députés au parlement arrêtés dans leur voyage à Londres par le mauvais état des chemins.

L'entretien des routes et des ponts d'Angleterre était au quatorzième siècle une de ces charges générales qui pesaient, comme le service militaire, sur l'ensemble de la nation. Tous les propriétaires fonciers étaient obligés, en théorie, de veiller au bon état des chemins; leurs tenanciers devaient exécuter pour eux les réparations. Les religieux, propriétaires de biens donnés en *francalmoigne*, c'est-à-dire dans un but de pure charité et à titre perpétuel, étaient dispensés de tout service et de toute rente vis-à-vis de l'ancien propriétaire du sol, et ils n'avaient en général d'autre charge que celle de dire des prières ou de faire des aumônes pour le repos de l'âme du donateur. Mais il leur restait cependant à satisfaire à la *trinoda necessitas*, ou triple obligation qui consistait notamment à réparer les ponts et les routes.

C'est que ces travaux n'étaient pas considérés comme mondains; c'étaient plutôt des œuvres pies et méritoires devant Dieu, au même titre que la visite des malades et le soulagement des pauvres [2]; on y voyait une véritable aumône pour des malheureux, les voyageurs. C'est pourquoi le clergé y demeurait soumis. Le caractère pieux de ce genre de travaux suffirait à prouver que les routes n'étaient pas aussi sûres ni en aussi bon état qu'on l'a soutenu quelquefois [3]. Le plus bel effet de l'idée religieuse au moyen âge a été de produire ces enthousiasmes désintéressés qui créaient sur-le-champ, dès qu'une misère de l'humanité devenait flagrante, des sociétés de secours et rendaient populaire l'abnégation. On vit, par exemple, une de ces misères dans la puissance des infidèles, et les croisades se succédèrent. On s'aperçut au treizième siècle de l'état de délaissement de la basse classe dans les villes, et saint François envoya pour consolateurs aux abandonnés ces frères mendiants si justement populaires d'abord, mais dont la renommée changea si vite. C'est de la même façon que l'on considéra les voyageurs comme des malheureux dignes de pitié et qu'on leur vint en aide pour plaire à Dieu. Un ordre religieux avait été fondé dans ce but au douzième siècle, celui des frères *pontifes* ou faiseurs de ponts, qui se répandit dans plusieurs pays du continent [4]. En France, ils construisirent sur le Rhône le célèbre pont d'Avignon, qui garde aujourd'hui encore quatre des arches élevées par eux, et celui de Pont-Saint-Esprit, qui n'a pas cessé de servir. Pour rompre la force d'un courant tel que celui du Rhône, ils bâtissaient des piles très rapprochées, d'une coupe oblongue, qui se terminaient en angle aigu aux deux extrémités de leur axe; et leur maçonnerie était si solide que dans plusieurs endroits, pendant sept siècles déjà, les fleuves l'ont respectée. Ils avaient en outre des établissements au bord des cours d'eau et aidaient à les passer en bateau. Les laïques apprirent les secrets de leur art et commencèrent à les remplacer dès le treizième siècle; les ponts se multiplièrent en France, et beaucoup subsistent: tel, par exemple, que ce beau pont de Cahors resté intact et qui a même conservé jusqu'à présent les tourelles à mâchicoulis qui servaient autrefois à le défendre.

On ne trouve pas trace en Angleterre d'établissements fondés par les frères pontifes; mais il est certain que là, comme ailleurs, les travaux de construction de ponts et de chaussées avaient un caractère pieux. Pour encourager les fidèles à y prendre part, Richard de Kellawe, évêque de Durham (1311-1316), leur remet une partie des peines de leurs péchés. Le registre de sa chancellerie épiscopale contient souvent des insertions de cette sorte: «Memorandum... Monseigneur a accordé quarante jours d'indulgence à tous ceux qui puiseront dans le trésor des biens que Dieu leur a donnés, pour fournir à l'établissement et à l'entretien du pont de Botyton, des secours précieux et charitables;» quarante jours, en une autre circonstance, pour le pont et la chaussée entre Billingham et Norton [5], et quarante jours pour la grand'route de Brotherton à Ferrybridge. Le libellé de ce dernier décret est caractéristique.

«A tous ceux qui, etc... Persuadés que les esprits des fidèles sont d'autant plus prompts à s'attacher *aux œuvres pies* qu'ils ont reçu le salutaire encouragement d'indulgences plus grandes, confiants dans la miséricorde de Dieu tout-puissant et les mérites et les prières de la glorieuse Vierge sa mère, de saint Pierre, de saint Paul et du très saint confesseur Cuthbert, notre patron, nous remettons quarante jours de la pénitence à eux imposée à tous nos paroissiens et autres...... sincèrement contrits et confessés de leurs péchés, qui aideront charitablement par leurs dons *ou leur travail corporel* à l'établissement et à l'entretien de la chaussée entre Brotherton et Ferrybridge, *où il passe beaucoup de monde* [6].»

Les guilds aussi, ces confréries laïques qu'animait l'esprit religieux, réparaient les routes et les ponts. C'est ce que faisait la guild de la Sainte-Croix de Birmingham, fondée sous Richard II, et son intervention était fort utile, comme le remarquaient, deux siècles plus tard, les commissaires d'Édouard VI. La guild entretenait «en bon état deux grands ponts de pierre et plusieurs grands chemins qui auraient été sans cela défoncés et dangereux: dépenses que la ville est dans l'impossibilité de faire. Le défaut de cet entretien causera un grand dommage aux sujets de Sa Majesté qui vont aux marches de Galles ou en viennent, et la ruine complète de ladite ville, laquelle est une des plus belles et de celles qui donnent à Sa Majesté les meilleurs revenus de toutes les villes du comté [7].»

Que la reine Mathilde (XIIe siècle) se soit ou non mouillée, comme on croit, en passant à gué la rivière à Stratford-at-Bow, ce village même où l'on devait parler plus tard le français qui amuserait Chaucer, il est certain qu'elle pensa faire œuvre méritoire en y construisant deux ponts [8]. Plusieurs fois réparé, *Bow Bridge* existait encore en 1839. Elle dota sa fondation en cédant une terre et un moulin à eau à l'abbesse de Barking, chargée à perpétuité d'entretenir le pont et la chaussée voisine. La reine mourut; une abbaye d'hommes fut fondée à Stratford même, tout près des ponts, et l'abbesse s'empressa de transmettre au monastère nouveau la propriété du moulin et la charge des réparations. L'abbé les fit d'abord, puis il s'en lassa et finit par en déléguer le soin à un certain Godfrey Pratt. Il lui avait bâti une maison sur la chaussée, à côté du pont, et lui fournissait une subvention annuelle. Pendant longtemps, Pratt exécuta le contrat, «se faisant assister, dit une enquête d'Édouard Ier, de quelques passants, mais sans avoir souvent recours à leur aide». Il recevait aussi la charité des voyageurs et ses affaires prospéraient. Elles prospérèrent si bien que l'abbé crut pouvoir retirer sa pension; Pratt se dédommagea de son mieux. Il établit des barres de fer en travers du pont et fit payer tous les passants, sauf les riches; car il faisait prudemment exception «pour les gens de noblesse; il avait peur et les laissait passer sans les inquiéter». La contestation ne se termina que sous Édouard II; l'abbé reconnut ses torts, reprit la charge du pont et supprima les barres de fer, le péage et Godfrey Pratt lui-même.

Ce pont, sur lequel Chaucer sans doute a passé, était en pierre; ses arches étaient étroites et ses piles épaisses; de puissants contreforts les soutenaient et divisaient la force du courant; ils formaient à leur partie supérieure un triangle ou gare d'évitement qui servait de refuge aux piétons, car le passage avait si peu de largeur qu'une voiture suffisait à l'obstruer. Quand on le démolit en 1839, on reconnut que les procédés de construction avaient été très simples. Pour établir les piles dans le lit de la rivière, les maçons avaient simplement jeté du mortier et des pierres jusqu'à ce que le niveau de l'eau eût été atteint. On remarqua aussi que le mauvais vouloir de Pratt, de l'abbé ou de leurs successeurs avait dû rendre, à certains moments, le pont presque aussi dangereux que le gué primitif. Les roues des voitures avaient creusé dans la pierre des ornières si profondes et les fers des chevaux avaient tellement usé le pavement, qu'une arche s'était trouvée percée.

Le caractère pieux de ces constructions se révélait par la chapelle qu'elles portaient. Bow Bridge était ainsi placé sous la protection de sainte Catherine. Le pont de Londres avait aussi une chapelle, dédiée à saint Thomas de Cantorbéry. C'était une volumineuse construction gothique, de forme absidale, avec de hautes fenêtres et des clochetons ouvragés, presque une église. Une miniature de manuscrit [9] la montre attachée à la pile du milieu, tandis que, tout le long du parapet, des maisons aux toits aigus projettent sur la Tamise leur deuxième étage, qui surplombe.

Aucun Anglais au moyen âge et même à la renaissance n'a jamais parlé sans orgueil du pont de Londres; c'était la grande merveille nationale; il demeura jusqu'au milieu du dix-huitième siècle le seul pont de la capitale. Il avait été commencé en 1176, sur l'emplacement d'une vieille passerelle en bois, par Pierre Colechurch, «prêtre et chapelain», qui avait déjà réparé une fois la passerelle. Tout le peuple s'émut de cette grande et utile entreprise; le roi, les citoyens de Londres, les habitants des comtés dotèrent l'édifice de terres et envoyèrent de l'argent pour hâter son achèvement. On voyait encore, au seizième siècle, la liste des donateurs «gravée sur une belle tablette pour la postérité», dans la chapelle du pont [10]. Peu avant sa mort (1205), Pierre Colechurch, alors très vieux, avait été remplacé dans la direction des travaux. Le roi Jean sans Terre, qui se trouvait en France, frappé de la beauté des ponts de notre pays, en particulier de ce magnifique pont de Saintes, qui a duré jusqu'au milieu de notre siècle et sur lequel un arc de triomphe romain donnait accès, désigna, pour remplacer Pierre, un Français, frère Isembert, «maître des écoles de Saintes (1201)». Isembert, qui avait fait ses preuves en travaillant au pont de la Rochelle et à celui de Saintes, partit avec ses aides, muni d'une patente royale adressée au maire et aux habitants de Londres. Jean sans Terre y vantait l'habileté du maître et déclarait consacrer pour jamais à l'entretien de l'édifice le revenu des maisons que celui-ci élèverait sur le parapet (Voy. appendice, 1) Le pont fut terminé en 1209. Il était en effet garni de maisons, d'une chapelle et de tours de défense. Il devint célèbre immédiatement et fit l'admiration de toute l'Angleterre. L'Écossais sir David Lindesay, comte de Crawfurd, s'étant pris de querelle avec lord Welles, ambassadeur à la cour d'Écosse, un duel fut décidé, et ce fut le pont de Londres que Lindesay désigna pour lieu du combat (1390). Il traversa tout le royaume, muni de sauf-conduits de Richard II, et le duel s'engagea solennellement à l'endroit fixé, en présence d'une foule immense. Le premier choc fut si violent que les lances volèrent en éclats, mais l'Écossais demeura immobile sur sa selle. Le peuple, inquiet du succès de l'Anglais, commença à crier que l'étranger était attaché à sa monture, contrairement à toutes les règles. Ce qu'entendant, Lindesay, pour toute réponse, sauta légèrement à terre, se remit d'un bond en selle, et, chargeant de nouveau son adversaire, le culbuta et le blessa grièvement [11].

Les maisons bâties sur le pont étaient à plusieurs étages; elles avaient leurs caves dans l'épaisseur des piles. Quand ils avaient besoin d'eau, les habitants jetaient par la fenêtre leurs seaux attachés à des cordes et les remplissaient dans la Tamise. Quelquefois par ce moyen ils portaient secours aux malheureux dont la barque avait chaviré. Les arches étaient étroites et il n'était pas rare que, l'obscurité venue, quelque bateau heurtât les piles et fût mis en pièces. Le duc de Norfolk et plusieurs autres furent sauvés de cette façon en 1428, mais beaucoup de leurs compagnons se noyèrent. D'autres fois c'étaient les habitants eux-mêmes qui avaient besoin de secours, car il arrivait parfois que leurs maisons, mal réparées, penchaient en avant et tombaient tout d'une pièce dans la rivière. Une catastrophe de ce genre se produisit en 1481.

L'une des vingt arches du pont, la treizième à partir de la cité, formait pont-levis pour laisser passer les bateaux [12] et pour fermer aussi l'accès de la ville; ce fut cet obstacle qui, en 1553, empêcha les insurgés conduits par sir Thomas Wyat de pénétrer dans Londres. A côté de l'arche mobile s'élevait une tour sur le haut de laquelle le bourreau planta longtemps les têtes des criminels décapités. Celle du grand chancelier, sir Thomas More, saigna un temps au bout d'une pique sur cette tour, avant d'être rachetée par Marguerite Roper, la fille du supplicié. En 1576, cet édifice aux sombres souvenirs fut reconstruit magnifiquement et l'on y fit des appartements très beaux. La nouvelle tour était tout entière en bois sculpté et doré, dans ce style «de papier découpé» en honneur sous Élisabeth et que blâmait le sage Harrison. Elle s'appela la «Maison-non-pareille», *None-such-house.* Les têtes des suppliciés ne pouvaient plus souiller une construction aussi gaie d'aspect; on les reporta sur la tour suivante, du côté de Southwark. Quatre ans après ce changement, Lyly l'euphuïste, cet élégant si attentif à flatter la vanité de ses compatriotes, terminait un de ses livres par un éloge pompeux de l'Angleterre, de ses produits, de ses universités, de sa capitale; il ajoutait: «Parmi les merveilles les plus belles et les plus extraordinaires, aucune, il me semble, n'est comparable au pont sur la Tamise. On dirait une rue continue garnie des deux côtés de hautes et imposantes maisons. Cette rue est supportée par vingt arches faites d'excellentes pierres de taille; chaque arche a soixante pieds de haut et vingt au moins d'ouverture (Ap. 2).»

C'était là un pont exceptionnel; les autres avaient une apparence moins grandiose. On était même très heureux d'en rencontrer de semblables à celui de Stratford, malgré son peu de largeur et ses profondes ornières, comme celui de la Teign entre Newton Abbot et Plymouth (reconstruit en 1815 sur des fondations romaines) [13], ou même comme le pont de bois sur la Dyke, aux arches si basses et si étroites que tout trafic par eau était interrompu pour peu que le niveau de la rivière montât. L'existence de ce dernier pont, qui, en somme, était plutôt une entrave qu'une aide pour le commerce, finit, il est vrai, par exciter l'indignation des comtés avoisinants. Aussi, pendant le quinzième siècle, fut-il accordé aux habitants, sur leur pressante requête, de reconstruire ce pont en pierre, avec une arche mobile pour les bateaux (Ap. 3).

On a déjà vu quelques exemples des moyens employés à cette époque pour assurer le maintien de ces précieux monuments, lorsque ce maintien ne constituait pas une des charges inhérentes à la propriété des terres voisines (*trinoda necessitas*): on sait qu'on y arrivait quelquefois à la faveur d'indulgences promises aux bienfaiteurs; d'autres fois, grâce à l'intervention des guilds, ou aussi par les dotations dont un grand seigneur enrichissait le pont qu'il avait fondé. Mais il y avait encore plusieurs moyens employés avec succès et même avec profit; c'était la perception régulière de ce droit de péage que Godfrey Pratt avait imposé arbitrairement à ses concitoyens, ou bien la collecte des offrandes pieuses faites à la chapelle du pont et à son gardien. Le droit de péage s'appelait *pontagium* ou *brudtholl* (*bridgetoll*); le concessionnaire de cette taxe s'engageait en compensation à faire toutes les réparations utiles. Quelquefois le roi accordait ce droit comme une faveur, pour une période déterminée; on en verra un exemple dans la pétition suivante, qui est du temps d'Édouard Ier ou d'Édouard II:

«A nostre seygnur le roy, prie le soen bacheler Williame de Latymer, seygnur de Jarmi [14], qe il ly voylle grauntier pountage pur cync aunz al pount de Jarmi, qe est debrusee, ou home soleyt passer as carettes e ove chivals en le reale chymyn entre l'ewe de Tese vers la terre de Escoce. Çoe, si ly plest, voille fere pur l'alme madame sa cumpaygne, qe est à Dieu comaundez, e pur comun profit des gentz passauntz.»

La réponse du roi est favorable: «Rex concessit pontagium per terminum [15].»

Une autre pétition très curieuse (1334) montrera l'application de l'autre moyen, c'est-à-dire la collecte d'offrandes volontaires obtenues de la charité des passants [16]; on y remarquera le rôle des clercs dans la garde de ces monuments, l'âpreté avec laquelle on se disputait le droit profitable de recueillir ces aumônes, et les détournements dont quelquefois elles étaient l'objet:

«A notre seigneur le roi et à son conseil remontre leur pauvre chapelain Robert le Fenere, curé de l'église de Saint-Clément de Huntingdon, de l'évêché de Lincoln, qu'il y a une petite chapelle nouvellement édifiée en sa paroisse, sur le pont de Huntingdon, de laquelle chapelle notre seigneur le roi a accordé et baillé la garde, tant qu'il lui plaira, à un sire Adam, gardien de la maison de Saint-Jean de Huntingdon, qui prend et emporte toutes manières d'offrandes et aumônes, et rien ne met en amendement du pont et de la chapelle susdite, comme il y est tenu. D'autre part, il semble préjudiciable à Dieu et à Sainte Église que les offrandes soient appropriées à nul sinon au curé dans la paroisse duquel la chapelle est fondée. Pour quoi ledit Robert prie, pour Dieu et Sainte Église et pour les âmes du père de notre seigneur le roi et de ses ancêtres, qu'il puisse avoir, annexée à son église, la garde de ladite chapelle, ensemble avec la charge du pont, et il mettra de son œuvre toute sa peine à les bien maintenir, de meilleure volonté que nul étranger, pour le profit et l'honneur de Sainte Église, pour plaire à Dieu et à toutes gens passant par là.»

Ce mélange d'intérêts humains et divins est soumis à l'examen ordinaire, et la demande est écartée par une fin de non-recevoir: «Non est peticio parliamenti», cette pétition ne regarde pas le parlement (Ap. 4).

D'autres fois, enfin, le pont était en même temps, lui-même, propriétaire d'immeubles et bénéficiaire des offrandes faites à sa chapelle; il avait des ressources civiles et des ressources religieuses. Tels étaient notamment les ponts de Londres, de Bedford et beaucoup d'autres. Jean de Bodenho, chapelain, expose au Parlement que les habitants de Bedford tiennent du roi leur propre ville en ferme et se sont chargés d'entretenir leur pont. Et pour cela ils ont «assigné certeyns tenementz et rentes en ladite ville audit pount pur le meintenir, e de lour aumoigne ount fait une oratorie novelement hors de l'eawe q'est au sire de Moubray, par congé du seigneur, joignaunt audit pount.» Les bourgeois ont donné au plaignant les revenus du tout, avec la charge des réparations. Mais le clerc Jean de Derby a fait entendre au roi que c'était chapelle royale, qu'il pouvait en disposer, et le roi la lui a donnée, ce qui est fort injuste, puisque la chapelle n'est pas au roi et que même ceux qui l'ont établie sont encore vivants; toutes ces raisons furent trouvées bonnes: les juges reçurent l'ordre de faire droit au plaignant et ils furent réprimandés pour ne l'avoir pas fait plus tôt, comme on le leur avait déjà prescrit [17].

Enrichis par tant d'offrandes, protégés par la *trinoda necessitas* et par l'intérêt commun des propriétaires du sol, ces ponts auraient pu être perpétuellement réparés et demeurer intacts. Mais il n'en était rien, et de la théorie légale à la pratique la distance était grande. Quand les taxes étaient régulièrement perçues et honnêtement appliquées, elles suffisaient au maintien de la construction, et même le droit de les percevoir était, comme on l'a vu, fort disputé; mais on a pu observer déjà, par l'exemple de Godfrey Pratt et de quelques autres, que tous les gardiens n'étaient pas honnêtes. Beaucoup, et même des plus haut placés, imitaient Godfrey. Le pont de Londres lui-même, si riche, si utile, si admiré, avait constamment besoin de réparations, et on ne les faisait jamais que lorsque le danger était imminent ou même la catastrophe survenue. Henri III concédait à terme les revenus du pont «à sa femme très chère», qui négligeait de l'entretenir et s'appropriait sans scrupule les rentes de l'édifice; le roi n'en renouvelait pas moins sa patente à l'expiration du terme, pour que la reine bénéficiât «d'une grâce plus féconde». Le résultat de ces grâces ne se faisait pas attendre: il se trouve bientôt que le pont est en ruines, et pour le remettre en état, les ressources ordinaires ne suffisant plus, il faut envoyer des quêteurs recueillir par tout le pays les offrandes des hommes de bonne volonté. Édouard Ier supplie ses sujets de se hâter (janvier 1281): le pont va s'écrouler si on n'envoie de prompts secours. Il recommande aux archevêques, aux évêques, à tout le clergé de permettre à ses quêteurs d'adresser librement au peuple «de pieuses exhortations», pour que les subsides soient donnés sans délai. Mais ces secours si instamment réclamés arrivent trop tard; la catastrophe s'est déjà produite; une «ruine subite» a atteint le pont, et pour parer à ce malheur le roi établit une taxe exceptionnelle sur les passants, les marchandises et les bateaux (4 février 1282). En quoi consistait cette ruine subite, nous le savons par les annales de Stow: l'hiver avait été fort rigoureux, la neige et la gelée avaient produit dans le tablier de grandes crevasses, si bien que, vers la fête de la Purification (2 février), cinq des arches s'étaient écroulées; beaucoup d'autres ponts, dans les comtés, avaient été mis à mal, le pont de Rochester était même tombé tout entier (Ap. 5).

On imagine ce qu'il pouvait advenir de certains ponts de la province qui avaient été construits sans qu'on eût songé à les doter; les aumônes qu'on leur faisait se trouvaient insuffisantes; de sorte que peu à peu, personne ne les réparant, leurs arches s'usaient, leurs parapets se détachaient, une charrette ne passait plus sans que de nouveaux moellons disparussent dans la rivière, et bientôt ce n'était pas sans de grands dangers que les carrioles et les cavaliers s'aventuraient sur la construction à demi démolie. Qu'avec cela une crue survînt, c'en était fait du pont et des imprudents ou des gens pressés qui pouvaient s'y engager sur le tard. C'est un accident de ce genre qu'allègue pour sa défense un chambellan d'Édouard III à qui son maître réclame cent marcs. Le chambellan assure les avoir envoyés exactement par son clerc Guillaume de Markeley, hélas! «.... lequel William fut neyé en Savarne au Pount de Moneford par crecyn (crue) de eawe, e ne poyt estre trové tant qe il fut desvorré des bestes, issint qe lesditz cent marcs furent perdues par fortune [18].» A cette époque, il y avait encore des loups en Angleterre, et la disparition du corps, avec les cent marcs, par le fait des bêtes féroces, put paraître moins invraisemblable qu'on ne la jugerait à présent.

Dans ce temps, la négligence et l'oubli allaient jusqu'à des degrés aujourd'hui impossibles et qui nous sont inconnus. Les communes des comtés de Nottingham, Derby et Lincoln et de la ville de Nottingham exposent au Bon Parlement (1376) qu'il y a près de la ville de Nottingham un grand pont sur la Trent, appelé Heybethebrigg, «as fesaunce ou reparailler de quele nul y est chargé fors taunt soulment d'almoigne; par ont touz les venantz et revenantz par entre les parties del south et north deyvent avoir lour passage». Ce pont est «ruynouste» et «sovent foith ount plusours gentz esté noiez auxi bien gentz à chivalx comme charettz, homme et hernays». Les plaignants demandent de pouvoir désigner deux gardiens du pont, qui administreront les biens qu'on donnera pour son entretien, «pur Dieu et en eovre de charité». Mais le roi n'accueillit pas leur requête [19].

Ou bien encore il se trouvait que les propriétaires riverains laissaient tomber en oubli leur obligation, même quand elle était au début parfaitement formelle et certaine. Le législateur avait pris cependant quelques précautions; il avait inscrit les ponts dans la liste des sujets de ces enquêtes ouvertes périodiquement en Angleterre par les juges errants, les shériffs et les baillis, ainsi qu'on le verra plus loin; mais les intéressés trouvaient moyen de frauder la loi. On s'était accoutumé de si longue date à voir l'édifice menacer ruine, que, le jour où il s'écroulait, personne ne pouvait plus dire qui aurait dû le réparer. Il fallait alors s'adresser au roi pour avoir une enquête spéciale et faire rechercher à qui incombait la servitude. Le parlement en décide ainsi en 1339, sur la demande du prieur de Saint-Néots: «Item, soient bones gentz et loialx assignez de survéer le pount et la chaucé de Seint Nee, s'ils soient debrusez et emportez par cretyn (crue) de eawe, come le priour suppose, ou ne mye. Et, en cas q'ils soient debrusez et emporté, d'enquere qi le doit et soleit faire reparailler et à ceo faire est tenuz de droit, et de combien le pount et la chaucé purront estre refaitz et reparaillez. Et ceo qu'ils averont trove, facent retourner en la chauncellerie [20].»

A la suite d'enquêtes pareilles, les personnes chargées de l'entretien se trouvant déterminées par les déclarations d'un jury convoqué sur les lieux, une taxe est levée sur les individus désignés, pour l'exécution des réparations. Mais très souvent les débiteurs protestent et refusent de payer; on les poursuit, ils en réfèrent au roi; on saisit leur cheval ou leur charrette, ce qui peut tomber sous la main, pour être vendu au profit du pont; la discussion s'éternise et l'édifice croule en attendant. Hamo de Morston, par exemple, se plaint, la onzième année d'Édouard II, de ce qu'on lui a pris son cheval. Cités à se justifier, Simon Porter et deux autres qui ont fait la capture, expliquent qu'il y a un pont à Shoreham, appelé le grand pont (Longebregge), qui est à moitié détruit; or il a été reconnu que la construction devait être rétablie aux frais des tenanciers de l'archevêque de Cantorbéry. Hamo ayant refusé de payer sa part de contribution, Simon et les autres lui ont pris son cheval. Ils agissaient par ordre du bailli, et leur conduite se trouve justifiée. A la suite d'une autre enquête de la même époque, l'abbé de Coggeshale refuse d'exécuter aucune réparation à un pont voisin de ses terres, sous prétexte que, de mémoire d'homme, il n'y a eu sur la rivière d'autre pont «qu'une certaine planche», et que, de tout temps, on l'a trouvée parfaitement suffisante pour les cavaliers et les piétons (1 Éd. II). Les exemples d'enquêtes de ce genre et de difficultés pour l'exécution des mesures décidées sont innombrables (Ap. 6).

L'entretien des routes ressemblait fort à celui des ponts, c'est-à-dire qu'il dépendait beaucoup de l'arbitraire, de l'occasion, de la bonne volonté ou de la dévotion des riverains (Ap. 7). Où commençait la négligence, les ornières commençaient, ou pour mieux dire les fondrières; cette foule de petites arches souterraines que le piéton ne remarque même pas aujourd'hui, et qui servent à l'écoulement de ruisseaux à sec une partie de l'année, n'existaient pas alors et le ruisseau traversait le chemin. Quand on voyage en Orient, à l'heure actuelle, on entend dans les bazars des villes les caravaniers parler de routes et de chemins de traverse, on en parle soi-même au retour, comme le prouvent les récits de voyage. En Orient, cependant, une route n'est autre chose souvent qu'un endroit par où l'on passe d'habitude; cela ne ressemble guère aux chaussées irréprochables dont le mot route éveille l'idée dans les esprits européens. Pendant la saison des pluies, d'immenses flaques d'eau coupent en travers la piste accoutumée des cavaliers et des chameaux: elles s'agrandissent peu à peu, débordent à la fin et forment de vraies rivières. Le soir, le soleil se couche dans le ciel et en même temps dans la route qui devient pourprée; les innombrables flaques du chemin et de la campagne reflètent les nuages rougis ou violacés, les chevaux mouillés, les cavaliers éclaboussés frissonnent au milieu de toutes ces lueurs, pendant que sur leur tête et à leurs pieds les deux soleils se rapprochent l'un de l'autre pour se rejoindre à l'horizon. Les routes du moyen âge ressemblaient souvent à celles de l'Orient moderne; les couchers de soleil y étaient magnifiques en hiver, mais, pour affronter les voyages, il fallait être un cavalier robuste, dur à la fatigue, et d'une santé inébranlable. L'éducation usuelle, il est vrai, vous préparait à ces épreuves.

Les chemins d'Angleterre auraient été entièrement impraticables, et le zèle religieux, pas plus que les indulgences de l'évêque de Durham, n'aurait suffi à les tenir en état si la noblesse et le clergé, c'est-à-dire l'ensemble des propriétaires, n'avaient eu un intérêt immédiat et journalier à jouir de routes passables. Les rois d'Angleterre avaient eu la prudence de ne pas constituer de grands fiefs compacts comme ceux qu'ils possédaient eux-mêmes en France et qui faisaient d'eux des vassaux si dangereux. Leur propre exemple les avait instruits sans doute, et nous les trouvons distribuant dès le début aux *actionnaires* de leur grande entreprise des domaines éparpillés à tous les coins de l'île. Cette sorte de marqueterie foncière subsistait au quatorzième siècle, et Froissart l'avait bien remarquée: «Et, pluisseurs fois, dit-il, avint que quant je cevauchoie sus le pais avoecques lui, *car les terres et revenues des barons d'Engleterre sont par places et moult esparses*, il m'apeloit et me disoit: Froissart, veez vous celle grande ville à ce haut clochier [21]?...» Le malheureux Despencer qui faisait cette question n'était pas seul à avoir, semées au hasard dans tous les comtés, les terres qu'il devait à la faveur du prince: tous les grands de sa sorte étaient dans le même cas. Le roi lui-même, du reste, avec toute sa cour, aussi bien que les seigneurs, allait sans cesse d'un manoir à l'autre, par goût et plus encore par nécessité. En temps de paix, c'était un semblant d'activité qui ne déplaisait point: mais c'était, avant tout, un moyen de vivre. Tous, quelque riches qu'ils fussent, avaient besoin d'économiser et, comme les propriétaires de tous les temps, de vivre sur leurs terres des produits de leurs domaines. Ils allaient donc de place en place, et il n'était pas sans intérêt pour eux d'avoir des chemins praticables, où leurs chevaux ne s'abattraient pas et où leurs fourgons à bagages, qui servaient à de véritables déménagements, auraient chance de ne pas verser. De même, les moines, grands cultivateurs, avaient intérêt au bon entretien des routes. Leurs exploitations agricoles étaient très étendues; une abbaye comme celle de Meaux [22] avait, au milieu du quatorzième siècle, 2638 moutons, 515 bœufs, 98 chevaux et des terres à proportion. D'ailleurs, comme nous l'avons vu, le soin de veiller au bon état des routes incombait au clergé plus qu'à toute autre classe, parce que c'était une œuvre pie et méritoire, et pour cette raison le caractère religieux de leur tenure ne les exemptait pas de la *trinoda necessitas*, commune à tous les possesseurs de terres.

Tous ces motifs réunis étaient assez pour qu'il y eût des chemins considérés comme suffisants, étant donnés les besoins d'alors, mais à cette époque on se contentait de peu. Les carrioles et même les voitures étaient de lourdes machines pesantes mais solides, qui pouvaient supporter les plus durs cahots. Pour peu qu'on eût du bien, on voyageait à cheval. Quant à ceux qui voyageaient à pied, ils étaient accoutumés à toutes les misères. Peu de chose suffisait donc, et s'il fallait d'autres preuves de l'état dans lequel les routes étaient sujettes à tomber, même aux endroits les plus fréquentés, nous les trouverions dans un statut d'Édouard III (20 novembre 1353) qui prescrit le pavage de la grand'route, *alta via*, allant de Temple Bar (limite occidentale de Londres à cette époque) à Westminster. Cette route, étant presque une rue, avait été pavée, mais le roi explique qu'elle est «si remplie de trous et de fondrières... et que le pavement en est tellement endommagé et disjoint» que la circulation est devenue très dangereuse pour les hommes et les voitures. Il ordonne en conséquence à chaque propriétaire riverain de refaire, à ses frais, un trottoir de sept pieds, jusqu'au fossé, *usque canellum*. Le milieu de la voie, «inter canellos», dont on ne dit malheureusement pas la largeur, sera pavé, et les frais couverts au moyen d'une taxe perçue sur toutes les marchandises allant à l'étape de Westminster.

Il y avait déjà une taxe générale sur toutes les charrettes et les chevaux apportant des marchandises ou des matériaux quelconques à la ville. L'arrêté [23] qui l'avait établie, la troisième année du règne d'Édouard III, constate d'abord que toutes les routes des environs immédiats de Londres sont en si mauvais état que les charretiers, marchands, etc., «sont souvent en danger de perdre ce qu'ils apportent». Désormais, pour subvenir aux réparations, un droit sera perçu sur tous les véhicules et toutes les bêtes chargées venant à la ville; on procédera par abonnement: ainsi, pour un tombereau rempli de sable, de gravier ou de terre glaise, il faudra payer trois pence par semaine. On fait exception, selon la coutume, pour les voitures et les chevaux employés au transport de denrées et autres objets destinés aux grands seigneurs (Ap. 8).

Mais ce qui fait comprendre mieux encore que les édits la difficulté des voyages par le mauvais temps, et permet de se représenter des chemins tout aussi inondés que ceux d'Orient dans la période des pluies, c'est le fait, constaté dans des pièces officielles, de l'impossibilité où l'on était parfois, durant la mauvaise saison, de répondre aux convocations royales les plus graves. C'est ainsi qu'on voit, par exemple, l'ensemble des députés appelés au parlement de tous les points de l'Angleterre manquer au jour désigné, sans que le retard fût attribuable à rien qu'à l'état des routes. On lit ainsi dans les procès-verbaux des séances du deuxième parlement de la treizième année d'Édouard III (1339) qu'il fut nécessaire de venir déclarer aux quelques représentants des communes et de la noblesse qui avaient pu gagner Westminster, «qe pour la reson que les prélatz, countes, barouns et autres grauntz et chivalers des countéez, citeyns et burgeys des citez et burghes furent destourbez par la mauvays temps qu'il ne poaient venir audit jour, il lour covendrait attendre lour venue [24]».

Pourtant ces députés n'étaient pas de pauvres gens: ils avaient de bons chevaux, de bonnes tuniques, des manteaux épais couvrant la nuque et remontant jusque sous le chapeau, avec de grandes manches pendantes tombant sur les genoux; n'importe, la neige ou la pluie, les inondations ou la gelée avaient été les plus forts. Tout en pestant, chacun de son côté, contre la saison qui entravait leur voyage, prélats, barons ou chevaliers avaient dû arrêter leurs montures dans quelque auberge isolée; et écoutant le bruit du grésil sur les châssis de bois qui fermaient la fenêtre, les jambes au feu dans la salle enfumée, en attendant le retrait des eaux ils songeaient au mécontentement royal qui bientôt leur serait sans doute manifesté dans la «chambre peinte» de Westminster. Si donc il y avait des routes, si les propriétés étaient grevées de servitudes obligeant à les entretenir, si des édits venaient de temps en temps rappeler aux possesseurs du sol leurs obligations, si l'intérêt privé des seigneurs et des moines s'ajoutant à l'intérêt public occasionnait de temps en temps des réparations, le sort du voyageur, à la chute ou à la fonte des neiges, était cependant précaire. On comprend que l'Église ait eu pitié de lui et l'ait mentionné, en même temps que les malades et les prisonniers, parmi les infortunés qu'elle recommandait aux prières quotidiennes des âmes pieuses.

CHAPITRE II

LE VOYAGEUR ORDINAIRE ET LE PASSANT

Les voyages de la cour et des seigneurs.—Charrettes et fourgons à bagages.—Les pourvoyeurs royaux et leurs abus de pouvoir.—Les voitures princières.—Le cortège royal.—Les solliciteurs et les plaideurs.

Voyages des magistrats.—Voyages des moines.—Voyages des évêques.—Voyages des messagers.

Les gîtes pour la nuit.—La suite du roi logée par les habitants.—Les monastères.—Les nobles abusent de l'hospitalité monacale.—Les châteaux.—Les hôtelleries.—Le prix du coucher et des provisions.—Un voyage en hiver d'Oxford à Newcastle.

Les cabarets.—Les ermitages.—L'ermite et le voyageur.

Ainsi entretenues, les routes s'éloignaient des villes et s'enfonçaient dans la campagne, coupées par les ruisseaux en hiver et semées de trous; les charrettes pesantes suivaient lentement leurs détours, et le bruit du bois qui grince accompagnait le véhicule. Ces carrioles étaient très répandues. Les unes avaient la forme d'un tombereau carré, simples boîtes massives, tout en planches, portées sur deux roues; d'autres, un peu plus légères, étaient formées de lattes garnies d'un treillage d'osier; les roues étaient protégées par de gros clous à têtes proéminentes [25]. Les unes et les autres servaient aux travaux de la campagne; on en trouvait partout et on les louait à très bon marché. Deux pence par mille et par tonne était le prix habituel; pour des sacs de blé à transporter, c'était, en général, un penny par mille et par tonne [26]. Tout cela ne prouve pas que les routes fussent excellentes, mais bien plutôt que ces charrettes, indispensables à l'agriculture, étaient nombreuses. Pour les gens du village qui les fabriquaient eux-mêmes, elles ne représentaient pas une forte somme; ils les faisaient solides et massives, parce qu'elles étaient plus faciles à établir ainsi et résistaient mieux aux cahots des chemins; une rémunération assez faible devait donc suffire aux charretiers. Le roi avait toujours besoin de leurs services; quand il se transportait d'un manoir à un autre, le brillant cortège des seigneurs était suivi par une armée de chariots d'emprunt.

Les *pourvoyeurs* officiels trouvaient les charrettes sur place et se les appropriaient librement; ils exerçaient leurs réquisitions jusqu'à dix lieues à la ronde des points que traversait le convoi royal. Ils prenaient même sans scrupule les chars de gens de passage, venant de trente à quarante lieues de là, dont le voyage se trouvait ainsi brusquement interrompu. Il y avait bien des statuts qui disaient qu'on ne ferait pas d'emprunts forcés, et surtout qu'on payerait honnêtement, c'est-à-dire «dix pence par jour pour une charrette à deux chevaux et quatorze pence pour une charrette à trois chevaux». Mais souvent on ne pensait pas à payer. La «poevre commune» recommençait ses protestations, le parlement ses statuts et les pourvoyeurs leurs exactions. Outre les charrettes, ils demandaient du blé, du foin, de l'avoine, de la bière, de la viande; c'était une petite armée qu'il fallait nourrir, et les réquisitions jetaient la terreur dans les villages. On faisait ce qu'on pouvait pour s'en exempter; le moyen le plus simple était de corrompre le pourvoyeur, mais les pauvres ne le pouvaient pas. Cependant, les règlements étaient innombrables qui avaient tous successivement promis qu'il n'y aurait plus d'abus jamais. Le roi était impuissant; sous un gouvernement imparfait, les lois créées pour durer toujours perdent rapidement leur vitalité, et celles qu'on faisait alors mouraient en un jour. Les pourvoyeurs pullulaient; beaucoup se donnaient pour officiers du roi qui ne l'étaient point, et ce n'étaient pas les moins avides. Tous achetaient à des prix dérisoires et se bornaient à promettre le payement. Le statut de 1330 montre comment ces payements ne venaient jamais, comment aussi, quand on prenait vingt-cinq «quarters» de blé, on en comptait vingt seulement, parce qu'on mesurait «chescun bussel à coumble [27]». De même, pour le foin, la paille, etc., les pourvoyeurs trouvaient moyen de se faire compter un demi-penny ce qui valait deux ou trois pence, ils ordonnaient qu'on leur amenât des provisions de vin, gardaient le meilleur afin de le revendre à leur compte, et se faisaient payer pour en rendre une partie à ceux à qui ils l'avaient pris, ce qui renversait singulièrement les rôles. Tout cela, le roi le reconnaît et il réforme en conséquence. Il réforme de nouveau peu de temps après et avec le même résultat. En 1362, il déclare que désormais les pourvoyeurs payeront comptant, au prix courant du marché, et il ajoute cette règle plaisante, que les pourvoyeurs perdront leur nom détesté et seront appelés acheteurs: «que le heignous noun de purveour soit chaungé et nomé achatour [28]». Les deux mots comportaient donc des idées très différentes (Ap. 9).

C'était à cheval que le roi et les seigneurs voyageaient la plupart du temps; mais ils avaient aussi des voitures. Rien ne donne mieux l'idée du luxe encombrant et gauche qui fait, pendant ce siècle, l'éclat de la vie civile, que la structure de ces lourdes machines. Les plus belles avaient quatre roues; trois ou quatre chevaux les tiraient, attelés à la file, et sur l'un d'eux était monté le postillon, armé d'un fouet à manche court et à plusieurs lanières; des poutres solides reposaient sur les essieux, et au-dessus de ce cadre s'élevait une voûte arrondie comme un tunnel: on voit quel ensemble disgracieux. Mais l'élégance des détails était extrême; les roues étaient ouvragées et leurs rayons, en approchant du cercle, s'épanouissaient en nervures formant ogive; les poutres étaient peintes et dorées, l'intérieur était tendu de ces éblouissantes tapisseries, la richesse du siècle; les bancs étaient garnis de coussins brodés et l'on pouvait s'y étendre moitié assis et moitié couché; des sortes d'oreillers étaient disposés dans les coins comme pour appeler le sommeil; des fenêtres carrées étaient percées dans les parois, et des rideaux de soie y pendaient [29]. Ainsi voyageaient de nobles dames à la taille grêle, étroitement serrées dans des robes qui dessinaient tous les plis du corps; leurs longues mains fluettes caressaient le chien ou l'oiseau favori. Le chevalier, également serré dans sa *cotte-hardie*, regardait d'un œil complaisant et, s'il savait les belles manières, expliquait son cœur à sa nonchalante compagne en longues phrases comme dans les romans. Le large front de la dame, qui peut-être s'est arraché par coquetterie les sourcils et les cheveux follets, ce dont s'indignaient les faiseurs de satires [30], s'illumine par instants, et son sourire paraît comme un rayon de soleil. Cependant les essieux crient, les fers des chevaux grincent sur le gravier, la machine avance par soubresauts, descend dans les ornières, bondit tout entière au passage des fossés et retombe brutalement avec un bruit sourd. Il faut parler haut pour faire entendre les discours raffinés que pouvait inspirer le souvenir de la Table-Ronde. Une nécessité si triviale a toujours suffi à rompre le charme des pensées les plus délicates: trop de secousses agitent la fleur, et quand le chevalier la présente elle a perdu sa poudre parfumée.

Posséder une voiture pareille était un luxe princier. On se les léguait par testament, et c'était un don de valeur. Le 25 septembre 1355, Elisabeth de Burgh, lady Clare [31], écrit ses dernières volontés et attribue à sa fille aînée «son grant char ove les houces, tapets et quissyns». La vingtième année de Richard II, Roger Rouland reçoit 400 livres sterling pour une voiture destinée à la reine Isabelle; et maître la Zouche, la sixième année d'Édouard III, 1000 livres pour le char de lady Éléanor [32]. C'étaient des sommes énormes: au quatorzième siècle, le prix moyen d'un bœuf était de treize shillings un penny un quart, d'un mouton un shilling cinq pence, d'une vache neuf shillings cinq pence, et d'un poulet un penny [33]. Le char de lady Éléanor représentait donc la valeur d'un troupeau de seize cents bœufs.

Entre ces voitures luxueuses et les charrettes paysannes, il n'y avait rien qui remplaçât cette légion de voitures bourgeoises auxquelles nous sommes accoutumés aujourd'hui. Il s'en trouvait certainement de moins chères que celles des princesses de la cour d'Édouard, mais pas un grand nombre. Tout le monde à cette époque savait monter à cheval et il était beaucoup plus pratique de se servir de sa monture que des pesants véhicules du temps. On allait plus vite et l'on était plus sûr d'arriver. Les lettres de la famille Paston montrent que les choses n'avaient guère changé au quinzième siècle. Jean Paston étant malade à Londres, sa femme lui écrit pour le supplier de revenir dès qu'il pourra endurer le cheval; l'idée d'un retour en voiture ne leur vient même pas à l'esprit. Il s'agit cependant d'une «grande maladie, *a grete dysese*».

Marguerite Paston écrit, le 28 septembre 1443:

«Si j'avais pu avoir ma volonté, je vous aurais déjà dit bien plus tôt combien je désirais que vous fussiez à la maison, s'il vous plaisait. Votre maladie aurait été tout aussi bien soignée ici que là où vous êtes; j'aimerais mieux cela que recevoir une robe neuve, fût-elle même d'écarlate. Je vous en prie, si votre mal se guérit et si vous pouvez supporter le cheval, quand mon père ira à Londres et qu'on renverra son cheval chez nous, demandez-le-lui et servez-vous de la bête pour revenir. Car j'espère que vous serez soigné ici aussi tendrement que vous avez pu être à Londres [34].»

Il y avait peu d'endroits en Angleterre où l'aspect du cortège royal ne fût pas bien connu. Les voyages de la cour étaient incessants; on en a vu plus haut les motifs. Les itinéraires royaux qui ont été publiés mettent en lumière d'une façon frappante ce besoin continuel de mouvement. L'itinéraire du roi Jean sans Terre montre qu'il passait rarement un mois entier au même endroit, et le plus souvent il n'y demeurait même pas une semaine. En quinze jours on le trouve fréquemment dans cinq ou six villes ou châteaux différents [35]. De même au temps d'Édouard Ier: la vingt-huitième année de son règne (1299-1300), ce prince, sans sortir de son royaume, change soixante-quinze fois de place, c'est-à-dire en moyenne près de trois fois par quinzaine [36].

Et quand le roi se déplaçait, non seulement il était précédé de vingt-quatre archers à sa solde, recevant trois pence par jour [37], mais il était accompagné de tous ces officiers que l'auteur du *Fleta* énumère avec tant de complaisance. Le souverain emmène ses deux maréchaux, son maréchal *forinsecus*, qui en temps de guerre dispose les armées pour la bataille, fixe les étapes et en tout temps arrête les malfaiteurs trouvés dans la *virgata regia*, c'est-à-dire à douze lieues à la ronde [38]; et son maréchal *intrinsecus*, qui fait la police des palais et châteaux et en écarte autant qu'il peut les courtisanes. Il perçoit de chaque «meretrice communi» quatre pence à titre d'amende, la première fois qu'il l'arrête; si elle revient, on l'amène devant le sénéchal, qui lui fait une défense solennelle de se présenter jamais à la demeure du roi, de la reine ou de leurs enfants; à la troisième fois, on l'emprisonne et on coupe les tresses de ses cheveux; à la quatrième fois, on procède à un de ces supplices hideux que dans sa barbarie le moyen âge tolérait: on coupe à ces femmes la lèvre supérieure, «ne de cætero concupiscantur ad libidinem [39]». Il y avait aussi le chambellan qui veillait à ce que l'intérieur de la demeure fût confortable: «debet decenter disponere pro lecto regis, et ut cameræ tapetis et banqueriis ornentur»; le trésorier de la garde-robe, qui tenait les comptes; le maréchal de la salle, qui avait pour mission de chasser les intrus, «indignos ejicere,» et les chiens, «non enim permittat canes aulam ingredi,» et une foule d'autres officiers.

Au-dessus de tous il faut placer encore le sénéchal du roi, premier officier de sa maison, et son grand justicier. Partout où se rendait le roi, l'appareil de la justice se transportait avec lui; au moment où il allait se mettre en route, le sénéchal en avertissait le shériff [40] du lieu où la cour devait s'arrêter, pour que celui-ci amenât tous ses prisonniers dans la ville où le prince stationnerait. Tous les cas soumis à la décision des juges errants sont tranchés par le sénéchal, qui prescrit, s'il y a lieu, le duel judiciaire, prononce les sentences de mise hors la loi (*outlawry*) et juge au criminel et au civil [41]. Ce droit de justice criminelle accompagne le roi même à l'étranger, mais il l'exerce seulement lorsque le coupable a été arrêté dans son hôtel. C'est ce qui arriva la quatorzième année d'Édouard Ier. Ce souverain étant à Paris, Ingelram de Nogent vint voler dans sa demeure et fut pris sur le fait. Après discussion, il fut reconnu qu'Édouard, par son privilège royal, demeurait juge de l'affaire; il livra le voleur à Robert Fitz-John, son sénéchal, qui fit pendre Ingelram au gibet de Saint-Germain-des-Prés [42].

Longtemps même, le chancelier et ses clercs qui rédigeaient les brefs suivirent le roi dans ses voyages, et Palgrave note qu'on requérait souvent du couvent le plus proche un fort cheval pour porter les rôles [43]; mais cet usage prit fin la quatrième année d'Édouard III, car à ce moment la chancellerie fut installée d'une manière permanente à Westminster. Le tribunal se déplaçant, une foule de plaideurs se déplaçaient avec lui. Ils avaient beau n'être pas inscrits aux rôles, ils suivaient sans perdre patience, comme le requin suit le navire, espérant toujours happer à la fin quelque proie. Gens ayant procès, réclamants divers, femmes «de fole vie», toute une tourbe d'individus sans maître pour les avouer escortaient obstinément le prince et ses courtisans. Ils se querellaient entre eux, volaient sur la route, assassinaient quelquefois et ne contribuaient pas, on pense, à rendre populaire dans le pays la nouvelle de la prochaine venue du roi. Édouard II dans les ordonnances de sa maison (1323) [44] constate et déplore tous ces graves abus; il prescrit de mettre dans les fers, pour quarante jours, au pain et à l'eau, les hommes sans aveu qui suivraient la cour, et d'emprisonner de même et de marquer au fer rouge les femmes de folle vie; il défend à ses chevaliers, clercs, écuyers, valets, palefreniers, bref à tous ceux qui l'accompagnent, d'emmener leurs femmes avec eux, à moins qu'elles n'aient une charge ou un emploi à la cour, cette nuée d'êtres féminins ne pouvant être qu'une cause de désordres. Il limite aussi le personnel qui doit accompagner le maréchal et qui peu à peu s'était accru hors de toute mesure. Ses ordonnances sont très minutieuses et très sages, mais on sait combien rapidement au moyen âge les prescriptions pareilles tombaient en oubli.

Ce n'était pas seulement à la suite du roi que voyageait la justice. En Angleterre, elle était nomade, et les magistrats venus de Londres qui devaient l'apporter dans les comtés, comme les shériffs et baillis dans les bourgs de leurs districts, parcouraient périodiquement le pays, redressant les torts. Mais dans ces institutions aussi se glissaient de graves abus, et, malgré ces précautions qui faisaient des administrés des shériffs et baillis les propres juges de ceux-ci, de nombreux statuts venaient l'un après l'autre constater des pratiques coupables et les arrêter pour un temps. Devant les shériffs et les baillis (et devant certains seigneurs [45]) avait lieu la *Vue de francpledge*, qui était un examen minutieux, article par article, de la manière dont les lois de police et de sûreté, les règlements sur la propriété, étaient exécutés; on interrogeait les jurés convoqués pour cela sur les cas de vol, d'assassinat, d'incendie, de rapt, de sorcellerie, d'apostasie, de destruction de ponts et de chaussées (*de pontibus et calcetis fractis*), de vagabondage, etc., qu'ils pouvaient connaître. Les tournées des shériffs et baillis ne devaient, selon la grande charte, avoir lieu que deux fois par an et non davantage, car leur venue occasionnait des pertes de temps et d'argent aux jurés qu'on déplaçait et aux sujets du roi chez lesquels ces officiers allaient loger (Ap. 10).

De leur côté, les juges errants passaient en revue, de la même façon, les *Articles de la couronne*. La fréquence de leurs apparitions varia selon les époques; la grande charte (art. 18) en avait fixé le nombre à quatre par an. C'est en pleine cour de comté qu'ils siégeaient; ils en avaient la présidence, et ils servaient ainsi de lien entre la justice royale et la justice de ces anciennes cours populaires. A mesure que l'importance des magistrats s'accrut, celle du shériff en tant que juge diminua. Ils demandaient aux jurés, transformés ainsi en accusateurs publics, quels crimes, quels délits, quelles infractions aux statuts étaient venus à leur connaissance [46]. Et dans ces interrogatoires minutieux, à chaque instant revenaient les noms du shériff, du coroner, du bailli, du constable, de tous les fonctionnaires royaux, dont la conduite est placée ainsi sous le contrôle populaire. L'un de ces fonctionnaires, dit le juge, n'a-t-il pas relâché quelque voleur ou des faux-monnayeurs ou des rogneurs de monnaie? N'a-t-il pas, pour une somme d'argent, négligé des poursuites contre un vagabond ou un assassin? N'a-t-il pas perçu des amendes injustement? Ne s'est-il pas fait payer par des gens qui voulaient éviter une charge publique (d'être juré, par exemple)? Le shériff n'a-t-il pas réclamé plus que de raison l'hospitalité de ses administrés, dans des tournées trop nombreuses? S'est-il présenté avec plus de cinq ou six chevaux? Et le juré doit dénoncer de même, sous la foi de son serment, les grands seigneurs qui ont emprisonné arbitrairement des voyageurs passant sur leurs terres, et tous les individus qui ont négligé de prêter main-forte pour arrêter un voleur et de courir avec les autres à la huée, ou clameur de haro; car dans cette société chaque homme est tour à tour officier de paix, soldat et juge, et l'humble paysan que tant d'exactions menacent a pourtant sa part dans l'administration de la justice et le maintien de l'ordre public. On voit de quelle importance, au point de vue social, étaient ces tournées judiciaires qui venaient sans cesse rappeler au pauvre qu'il était citoyen, et que la chose de l'État était sa chose.

Lorsque les moines sortaient du cloître et voyageaient, ils modifiaient volontiers leur costume et il devenait difficile de les distinguer des seigneurs.

Chaucer nous donne une amusante description des habits du moine mondain; mais les conciles sont encore plus explicites et ils font plus que justifier la satire du poète. Ainsi le concile de Londres, en 1342, reproche aux religieux de porter des vêtements «plus dignes de chevaliers que de clercs, c'est-à-dire courts, très étroits, avec des manches excessivement larges, n'atteignant pas les coudes, mais pendant très bas par-dessous, à revers de fourrure ou de soie». Ils ont la barbe longue, des anneaux aux doigts, des ceintures de prix, des bourses brodées d'or à personnages et arabesques, des couteaux qui semblent des épées, des bottines rouges ou quadrillées en couleur, des souliers terminés en longues pointes et ornés de crevés, en un mot tout le luxe des grands de la terre. Plus tard, en 1367, le concile d'York fait les mêmes observations: les religieux ont des vêtements «ridiculement courts»; ils osent porter en public ces habits «qui ne descendent pas au milieu des jambes et ne couvrent même pas les genoux». Les défenses les plus sévères sont faites pour l'avenir; on tolère cependant, en cas de voyage, des tuniques plus courtes que la robe réglementaire (Ap. 11).

Quand un évêque se mettait en route, ce n'était pas sans un grand appareil, et les évêques, sans parler de leurs tournées épiscopales, avaient à voyager, comme les seigneurs, pour visiter leurs terres et pour y vivre. Dans tous les cas, ils se transportaient avec leurs serviteurs de divers ordres et leurs familiers, comme le roi avec sa cour. Les comptes de la dépense de Richard de Swinfield, évêque de Hereford, donnent une idée de cette large vie que menaient les prélats. C'était un évêque d'assez grande importance, très riche par conséquent; beaucoup de manoirs appartenaient à son évêché; il pouvait bien tenir son rang comme prélat et comme seigneur, être hospitalier, charitable aux pauvres et dépenser beaucoup en requêtes et plaidoyers à la cour de Rome et ailleurs. Il avait constamment à ses gages environ quarante personnes de rangs divers, dont la plupart accompagnaient le maître dans ses nombreux changements de résidence. Ses écuyers (*armigeri*) avaient par an de un marc à une livre de gages; ses *valleti*, c'est-à-dire les clercs de sa chapelle et au-dessous, ses charretiers, portiers, fauconniers, gens d'écurie, messagers, etc., avaient de une couronne à huit shillings huit pence. Au troisième degré venaient les gens de cuisine, le boulanger, avec deux ou quatre shillings par an; au quatrième degré, les garçons ou pages qui aidaient les autres domestiques et recevaient de un à six shillings par an. Un des plus curieux employés de l'évêque était Thomas de Bruges, son champion, qui recevait un salaire annuel pour se battre au nom du prélat en cas de procès terminés par le duel judiciaire. Le rôle des dépenses de Swinfield ne s'étend malheureusement qu'à une partie des années 1289-1290, et nous ne pouvons pas savoir s'il était souvent nécessaire de remplacer le champion [47].

Au service des abbés, des évêques, des nobles, des shériffs et du roi se trouvaient encore des personnages auxquels la grand'route et les chemins de traverse étaient tout particulièrement familiers; c'étaient les messagers. La poste n'existant pas encore, on y suppléait comme on pouvait. Les pauvres attendaient l'occasion de quelque ami faisant le voyage; les riches avaient des exprès chargés de faire leurs commissions au loin et de porter leurs lettres, des lettres que la plupart du temps un scribe écrivait sous leur dictée sur une feuille de parchemin et scellait ensuite à la cire, aux emblèmes du maître [48]. Le roi entretenait douze messagers à titre fixe; ils le suivaient partout, constamment prêts à partir; ils recevaient trois pence par jour quand ils étaient en voyage, et quatre shillings huit pence par an pour acheter des souliers [49]. Le prince les chargeait de lettres pour les rois de France et d'Écosse, les envoyait convoquer les représentants de la nation au parlement, ordonner la publication de la sentence du pape contre Guy de Montfort, appeler à Windsor les chevaliers de Saint-Georges, mander à Londres les «archevêques, comtes, barons et autres seigneurs et dames d'Angleterre et du pays de Galles», pour assister aux obsèques de la feue reine (Philippa), prescrire la proclamation dans les provinces des statuts rendus en parlement, recommander aux «archevêques, évêques, abbés, prieurs, doyens et chapitres des églises cathédrales de tous les comtés de prier pour l'âme d'Anne, feue reine d'Angleterre décédée [50]». Parmi les missions que le roi donnait à ses serviteurs, il s'en trouvait parfois qui paraîtraient aujourd'hui singulièrement répugnantes. Il chargeait par exemple un de ses fidèles de porter dans les grandes villes d'Angleterre des quartiers du cadavre de suppliciés condamnés pour trahison. Dans ce cas, ce n'étaient pas de simples messagers qu'il employait; c'étaient des personnages de confiance, qui se faisaient suivre d'une escorte pour protéger la triste dépouille. C'est ainsi qu'Édouard III, la cinquante et unième année de son règne, ne paye pas moins de vingt livres à «sir William de Faryngton, chevalier, en raison des frais et dépenses qu'il a encourus pour le transport des quatre quartiers du corps de sir Jean de Mistreworth, chevalier, dans diverses parties de l'Angleterre [51]».

De tous les voyageurs, les messagers étaient les plus rapides: d'abord, voyager était leur métier; c'étaient de bons cavaliers, des gens pratiques, habiles à se tirer d'embarras dans les auberges et sur les chemins. De plus, ils avaient le privilège de passer à travers champs, «parmi les blés,» si bon leur semblait, sans que le gardien des récoltes (*hayward*) eût le droit de les arrêter, et de leur prendre, en guise d'amende, comme aux délinquants ordinaires, «leur chapeau ou leur cape, ou leurs gants, ou l'argent de leur bourse». Ils passaient «joyeux, la bouche pleine de chansons [52]». Malheur à qui s'avisait de les arrêter; il y allait d'amendes énormes pour peu que le maître fût puissant, à plus forte raison si c'était le roi. Un messager de la reine emprisonné par un constable n'hésitait pas à réclamer dix mille livres sterling pour mépris de sa souveraine, et deux mille livres comme indemnité pour lui [53].

Lorsque Jacques d'Euse, cardinal-évêque de Porto, fut élu pape à Lyon, sous le nom de Jean XXII, le 7 août 1316, Édouard II étant à York apprit dix jours après la nouvelle par Laurent d'Irlande, messager de la maison des Bardi. On voit en effet, par les comptes de l'hôtel du roi, que ce prince fit payer, le 17 août, vingt shillings à Laurent pour le récompenser de sa peine. Le 27 septembre seulement, étant toujours à York, le roi reçut par Durand Budet, messager du cardinal de Pelagrua, les lettres officielles lui annonçant l'élection; il donna cinq livres au messager. Enfin, le nonce du pape étant venu en personne peu après, porteur de cette même nouvelle qui n'avait plus rien d'imprévu, le roi lui fit cadeau de cent livres [54].

Tel était l'usage; on faisait des cadeaux aux porteurs de bonnes nouvelles; les messagers royaux avaient ainsi chance de voir accroître casuellement leur maigre paye de trois pence par jour. Les plus fortunés étaient ceux qui apportaient au roi lui-même avis d'événements heureux. Édouard III donne quarante marcs de rente, sa vie durant, au messager de la reine qui était venu lui annoncer la naissance du prince de Galles, le futur Prince Noir; il donne treize livres trois shillings et quatre pence à Jean Cok de Cherbourg qui lui apprend la capture du roi Jean à Poitiers; il assure cent shillings de rente à Thomas de Brynchesley qui lui apporte la bonne nouvelle de la capture de Charles de Blois.

Le soir venu, moines, seigneurs et voyageurs divers cherchaient un abri pour la nuit. Quand le roi, précédé de ses vingt-quatre archers et escorté de ses seigneurs et des officiers de sa maison, arrivait dans une ville, le maréchal désignait un certain nombre des meilleures demeures, qu'on marquait à la craie; le chambellan se présentait, invitait les habitants à faire place, et la cour s'installait de son mieux dans leur logis. La capitale même n'était pas exempte de cette charge vexatoire, seulement le maréchal devait s'entendre pour la désignation des locaux avec les maire, shériffs et officiers de la ville. Quelquefois l'agent royal passait outre et grand tapage s'ensuivait. La dix-neuvième année d'Édouard II, ce prince étant venu à la Tour, les gens de sa maison s'allèrent loger chez les citoyens, sans que le maire et les aldermen eussent été aucunement consultés; la maison du shériff même se trouva marquée à la craie. Grande fut l'indignation de cet officier quand il trouva établi chez lui Richard de Ayremynne, le propre secrétaire du roi, les chevaux de l'étranger à l'écurie, ses domestiques à la cuisine. Sans se soucier le moins du monde de la majesté royale, et comptant sur le privilège de la ville, le shériff chassa immédiatement de vive force le secrétaire et toute sa suite, effaça les marques à la craie et redevint maître chez lui. Cité à comparaître devant le sénéchal de la cour et accusé d'avoir méprisé les ordres du roi à proportion de mille livres au moins, il se défendit énergiquement et appela en défense le maire et les citoyens, qui produisirent les chartes de privilège de la capitale. Les chartes étaient formelles, il fallut bien le reconnaître; la vivacité du shériff fut excusée, Ayremynne se consola comme il put et ne reçut aucune indemnité (Ap. 12).

En province, quand le roi n'avait pas, à proximité, de château à lui ou à l'un des siens, il allait souvent loger au monastère voisin, sûr d'y être reçu en maître. Les grands seigneurs, dans leurs voyages, faisaient de leur mieux pour imiter le prince sur ce point [55]. Dans les couvents, l'hospitalité était un devoir religieux et même, pour l'ordre de Saint-Jean de Jérusalem, le premier des devoirs. Cet ordre avait des établissements par toute l'Angleterre, et c'était, pour le voyageur pauvre, une bonne fortune que d'y arriver. On y était, sans doute, traité selon son rang, mais c'était déjà beaucoup de ne pas trouver porte close. Les comptes de l'année, en 1338 [56], montrent que ces moines-chevaliers ne cherchaient pas à se soustraire à la lourde charge de l'hospitalité; on trouve toujours, dans leurs listes de dépenses, les frais occasionnés par les «supervenientibus». Lorsqu'il s'agit du roi ou des princes, on se ruine; ainsi le prieur de Clerkenwell mentionne «beaucoup de dépenses, dont on ne peut donner le détail, causées par l'hospitalité offerte à des gens de passage, à des membres de la famille royale et à d'autres grands du royaume qui s'arrêtent à Clerkenwell et y demeurent aux frais de la maison....». C'est pourquoi le compte se termine par ce résumé: «Ainsi les dépenses sont supérieures aux recettes de vingt livres onze shillings quatre pence.» Le voisinage même d'un grand était une source de frais; il envoyait volontiers sa suite profiter de l'hospitalité du couvent. Ainsi dans les comptes de Hampton, la liste des gens à qui on a fourni de la bière et du pain finit par ces mots: «parce que le duc de Cornouailles habite dans les environs [57].» Il faut noter que la plupart de ces maisons avaient été dotées par les nobles, et chacun, reconnaissant sa terre ou celle d'un parent ou d'un ami, se croyait chez lui dans le monastère. Mais ces seigneurs turbulents, amis de la bonne chère, abusaient de la gratitude monacale, et leurs excès causaient des plaintes qui venaient aux oreilles du roi (Ap. 15). Édouard Ier défend que nul ne se permette de manger ou de loger dans une maison religieuse, à moins que le supérieur ne l'ait formellement invité ou qu'il ne soit le fondateur de l'établissement, et même dans ce cas sa consommation doit être modérée. Seuls les pauvres, qui perdaient plus que personne aux fantaisies des grands, continueront à être logés gratuitement: «et per hoc non intelligitur quod gratia hospitalitatis abstrahatur egenis [58].» Édouard II, en 1309, confirme ces règlements, qui tombaient en oubli, paraît-il, et promet de nouveau, six ans plus tard, que ni lui ni les siens n'useront avec excès de l'hospitalité des religieux [59]. Peine perdue; ces abus étaient déjà compris parmi ceux que l'institution des *Articles de la couronne* avait pour but de faire disparaître et était impuissante à effacer. Périodiquement le magistrat venait interroger à ce sujet les bonnes gens du pays. Il leur demandait «si quelques seigneurs ou autres n'étaient pas allés loger dans les demeures des religieux sans y être invités par les supérieurs; s'ils y étaient allés, fût-ce à leurs frais, contre la volonté desdits religieux»; si quelque audacieux «n'avait pas envoyé dans les maisons ou manoirs appartenant aux moines, pour y séjourner aux frais d'autrui, des hommes, des chevaux ou des chiens». Il paraît que ces règles étaient difficiles et même dangereuses à appliquer, car le magistrat interroge encore le jury sur «ceux qui auraient exercé des vengeances pour refus de nourriture ou de logement [60]».

Les communes du parlement préoccupées dans ce cas du sort des plus pauvres, n'étaient pas moins jalouses que les grands du bénéfice de l'hospitalité monacale, et veillaient à ce que cet usage ne tombât pas en désuétude. La non-résidence du clergé, qui devait être, deux cents ans plus tard, une des causes de la réforme, occasionne, dès le quatorzième siècle, de violentes protestations. Les communes réclament notamment parce qu'il résulte de cet abus un oubli des devoirs de l'hospitalité: «Et que toutz autres persones avauncez as bénéfices de Seinte Esglise, demandent-elles au roi, demurgent sur lour ditz bénéfices *pur y hospitalité tenir*, sur mesme la peine, hors pris clercs du roi et clercs des grauntz seignurs du roialme [61].» Le parlement proteste encore contre l'attribution par le pape de riches prieurés à des étrangers qui restent sur le continent. Ces étrangers «soeffrent les nobles édifices auncienement faitz quant ils estoient occupiez par Engleis, de tout cheoir à ruyne,» et négligent «de hospitalitée tenir [62]».

Il est à peine besoin de rappeler que l'hospitalité s'exerçait aussi dans les châteaux; les seigneurs qui n'étaient pas en querelle se recevaient volontiers les uns les autres; il y avait entre eux des liens de fraternité beaucoup plus étroits que ceux qui existent maintenant entre gens de la même classe. On ne donne plus guère aujourd'hui le logement aux inconnus qui frappent à votre porte; tout au plus et rarement permet-on, à la campagne, aux pauvres de passage de coucher la nuit dans les fenières. Au moyen âge, on accueillait ses égaux, non par simple charité, mais par habitude de politesse et aussi par plaisir. Connu ou non connu, le chevalier voyageur se voyait rarement refuser l'entrée d'un manoir. Sa venue, en temps de paix, était une heureuse diversion à la monotonie des jours. Il y avait alors, dans chaque demeure, le *hall*, la grand'salle où l'on prenait ses repas en commun; le nouveau venu mangeait avec le lord, à la table transversale placée au fond, à l'endroit appelé le *dais*; sa suite était aux tables basses disposées dans l'autre sens, le long des murs de la maison. Le souper fini, presque aussitôt on allait dormir; on se couchait et l'on se levait de bonne heure alors. Le voyageur se retirait tantôt dans une chambre spéciale pour les hôtes si le manoir était grand, tantôt dans celle même du maître, le *solar* (chambre au premier étage) et y passait la nuit avec lui. Pendant ce temps, on avait enlevé du hall les tables basses, car elles n'étaient pas dormantes en général, mais mobiles [63]; on avait disposé des couchettes à terre, sur la litière de joncs qui jour et nuit couvrait le pavé, et les gens de la maison, les gens du voyageur, les étrangers de moindre importance s'y étendaient jusqu'au matin. Par une fenêtre percée dans le mur de séparation de sa chambre et du hall, du côté du dais, le seigneur pouvait voir et même entendre tout ce qu'on faisait ou disait dans la salle. On dormait ainsi dans le hall, même chez le roi; les ordonnances d'Édouard IV le montrent [64]; à une époque plus rapprochée de nous (1514), Barclay se plaint encore de ce qu'à la cour la même couchette sert pour deux, de ce que le bruit des allants, des venants, des tapageurs, des tousseurs, des parleurs empêche perpétuellement de dormir [65].

Les premiers rayons du jour passaient à travers les vitres blanches ou colorées des hautes fenêtres, tachant de lumière la sombre charpente ouvragée qui soutenait, très haut au-dessus du pavé, le toit même de la maison; on se remuait sur les couchettes; bientôt on était dehors; les chevaux étaient sellés, et sur la grand'route sonnaient de nouveau les fers des montures.

Les gens très pauvres et les gens très riches ou très puissants devaient être les seuls pour qui le monastère était comme une hôtellerie. Les moines recevaient les premiers par charité et les seconds par nécessité, les auberges communes se trouvant à la fois trop misérables pour ceux-ci et trop chères pour ceux-là. Elles étaient faites pour la classe moyenne, les marchands, les petits propriétaires, les colporteurs errants. On y trouvait des lits placés en certain nombre dans la même chambre, et l'on achetait séparément ce qu'on voulait manger, du pain avant tout, un peu de viande et de la bière. Nous pourrions suivre, par exemple, deux *fellows* et le *warden* du collège de Merton, qui allèrent, en 1331, avec quatre domestiques, d'Oxford à Durham et à Newcastle [66]. Ils voyageaient à cheval; c'était en plein hiver. Leur nourriture était très simple et leur logement peu coûteux; on voit revenir presque toujours les mêmes articles de dépense, qui comprennent, à cause de la saison, de la chandelle et du feu, quelquefois du feu de charbon. Une de leurs journées peut donner une idée des autres; un certain dimanche ils inscrivent:

Pain	4d. (4 pence)
Bière	2d.
Vin	1d. 1/4.
Viande	5d. 1/2
Potage	1/4.
Chandelle	1/4.
Combustible	2d.
Lits	2d.

Nourriture des chevaux 10d.

On voit que les lits ne sont pas chers; dans une autre occasion, les domestiques sont seuls à l'auberge et leur coucher revient à un penny pour deux nuits. En général, quand la troupe est au complet, leurs lits à tous coûtent deux pence; à Londres, le prix était un peu plus élevé, c'était un penny par tête [67]. Quelquefois ils prennent des œufs ou des légumes pour un quart de penny, ou un poulet ou un chapon. Quand ils se servent d'assaisonnements, ils les inscrivent à part; c'est, par exemple, de la graisse 1/2 penny, du jus 1/2 penny, de la saumure pour le même prix, du sucre 4 pence, du poivre, du safran, de la moutarde. Le poisson revient régulièrement le vendredi. On s'attarde le soir, les chemins sont obscurs; on perd sa route, on prend un guide, qu'on paye un penny. On passe l'Humber et l'on paye huit pence, ce qui peut paraître beaucoup, étant donnés les autres prix. Mais il faut se rappeler que la rivière était large et d'une traversée difficile, surtout en hiver. Les annales de l'abbaye de Meaux près Beverley mentionnent perpétuellement les ravages causés par le débordement du fleuve, parlent de fermes, de moulins détruits, de terres entières submergées et de cultures anéanties. Les propriétaires du bac profitaient de ces accidents pour augmenter sans cesse leurs prix, et il fallut que le roi lui-même intervînt pour rétablir la taxe normale, qui était d'un penny pour un cavalier: c'est celle que payent, ou peu s'en faut, les fellows et leur suite (Ap. 14). Quelquefois nos voyageurs se munissent d'avance de provisions à emporter; on achète un saumon, *pro itinere*, 18 pence, et l'on paye pour le faire cuire, sans doute avec quelque sauce compliquée, 8 pence.

On peut voir d'amusants spécimens de dialogues à l'arrivée entre le voyageur et l'aubergiste, avec discussion sur le prix des victuailles, dans le manuel de conversation française composé à la fin du quatorzième siècle par un Anglais, sous le titre de: *La manière de language que enseigne bien à droit parler et escrire doulcz françois* [68]. Le chapitre III est particulièrement intéressant. Il montre «coment un homme chivalchant ou cheminant se doit contenir et parler sur son chemin, qui voult aler bien loins hors de son païs». Le domestique envoyé à l'avance pour retenir la chambre déclare bien espérer «qu'il n'y a point des puces ne des poils ne d'autre vermyn.—Nonil, sire, à Dieu le veou,» répond l'hôtelier, «car je me fais fort que vous serez bien et aisément loegiez ciens, savant qu'il en y a grant cop de rats et des soris». On passe en revue les provisions, on allume le feu, on prépare le souper; le voyageur arrive et il est curieux de noter avec quel sans façon galant il s'assure, avant de descendre de cheval, qu'il trouvera à l'auberge «bon souper, bon gîte et le reste». Plus loin (chap. XIII), il est question d'une autre hôtellerie, et la conversation entre deux voyageurs qui vont se coucher dans le même lit les montre fort incommodés par les puces: «Guillam, deschausez vous tost et lavez voz jambes, et puis les ressuez d'un drapelet et les frotez bien pour l'amour des puces, qu'ils ne se saillent mye sur voz jambes, car il y a grand cop gisans en le poudre soubz les juncs...—Hé! les puces me mordent fort et me font grant mal et damage, car je m'ay gratée le dos si fort que le sang se coule.»

Souvent on buvait de la bière en route, et ce n'était pas seulement à l'auberge où l'on couchait le soir qu'on en trouvait. Sur les routes fréquentées, aux carrefours, il y avait des maisons basses où l'on donnait à boire. Une longue perche qui projetait au-dessus de la porte et montrait au loin son bouquet de branches avertissait les voyageurs de la présence de l'*ale house*. Les pèlerins que Chaucer fait chevaucher sur la route de Cantorbéry descendent devant une maison de cette espèce. Le pardonneur, qui a ses habitudes, ne veut pas commencer son récit avant de s'être réconforté: «Laissez-moi d'abord m'arrêter à cette enseigne, que je boive un coup de bière et mange un gâteau.» Une miniature du quatorzième siècle, dans un manuscrit du British Museum [69], représente l'*ale house* avec sa longue perche horizontale étendant bien avant au-dessus de la route sa touffe de feuillage. La maison ne se compose que d'un rez-de-chaussée; une femme est debout devant la porte, avec un large broc à bière, et un moine boit dans une grande tasse. La mode était d'avoir des perches démesurées, ce qui n'offrait pas d'inconvénient à la campagne; mais à la ville il avait fallu faire des règlements et fixer un maximum de longueur. En effet, suivant les termes de l'arrêté, on se servait de perches si lourdes «qu'elles tendaient à abattre les maisons qui les supportaient», et, de plus, si longues et avec des enseignes qui pendaient si bas que la tête des cavaliers venait s'y embarrasser. L'acte de 1375 qui relate ces griefs prescrit qu'à l'avenir les perches ne s'étendront plus qu'à sept pieds au-dessus de la voie publique, et c'était laisser encore un caractère assez pittoresque à des rues qui n'avaient pas la largeur des nôtres.

Certaines tavernes étaient mal famées, à la ville surtout. A Londres, défense du roi de tenir maison ouverte après le couvre-feu, et pour des raisons très bonnes: «pur ceo que tiels meffesours avauntditz alant nutauntre, communalement ont lour recette lour covynes e font lour mauveyses purparlances en taverne plus qe aillours e illockes querent umbrage attendanz et geitant lor tens de mal fere [70]...»

C'est par crainte de dangers pareils que les shériffs et baillis devaient, dans leurs *vues de francpledge*, demander, sous serment, à leurs administrés de dire ce qu'ils savaient «de ceux qi assiduelment hauntent les tavernes et homme ne soit (sait) dount ils viegnent;—de ceux qi dorment les jours et veillent les nutz et mangent bien et beivent bien et n'ount nul bien [71]».

On connaît la belle peinture d'une taverne au quatorzième siècle que nous a laissée Langland. Avec autant de verve que Rabelais, il nous fait assister aux scènes tumultueuses qui se passent dans l'*ale house*, aux discussions, aux querelles, aux larges rasades, à l'ivresse qui s'ensuit; on voit chaque visage, on distingue le son des voix, on remarque les tenues peu correctes, et il semble qu'on fasse partie soi-même de cette assemblée étrange où l'ermite rencontre le savetier, et le «clerc de l'église» une bande de «coupe-bourses et d'arracheurs de dents au crâne chenu [72]». A la taverne, on trouve aussi des paysans; Christine de Pisan, cette femme dont les écrits et le caractère rappellent si souvent Gower, nous les montre buvant, se battant et perdant le soir plus qu'ils n'ont gagné tout le jour; ils ont à comparaître devant le prévôt, et les amendes viennent augmenter leurs pertes:

Par ces tavernes chacun jour,

Vous en trouveriez à sejour,

Beuvans là toute la journée

Aussi tost que ont fait leur journée.

Maint y aconvient aler boire:

Là despendent, c'est chose voire,

Plus que toute jour n'ont gaigné.

. . . .

Là ne convient il demander

S'ilz s'entrebatent quand sont yvres;

Le prevost en a plusieurs livres

D'amande tout au long de l'an.

. . . .

Et y verriés de ces gallans

Oyseux qui tavernes poursuivent

Gays et jolis [73]...

Au moment de la Renaissance en Angleterre, le poète Skelton, précepteur d'Henri VIII, s'amuse dans une de ses ballades les plus populaires à décrire un cabaret de grand'route: la maison est toute pareille à celles que Langland avait connues un siècle et demi plus tôt. La cabaretière, qui brasse, Dieu sait comme, sa bière elle-même, est une vieille détestable, au nez crochu, au dos voûté, aux cheveux gris, à la face ridée, fort semblable aux «magots» peints depuis par Téniers. Elle tient sa taverne près de Leatherhead, dans le comté de Surrey, en haut d'une montée, sur le grand chemin, et elle vend sa marchandise «aux voyageurs, aux chaudronniers, aux gens qui travaillent dur, à tous les vaillants buveurs de bière». Passants et habitants du pays viennent en foule à sa maison; «les uns y vont tout droit, par la boue ou par la gelée, suivant la grand'route, sans s'inquiéter de ce qu'on dira: parle d'eux qui voudra! Les autres, craignant de se faire voir, sautent par-dessus la balustrade et la haie et entrent par la porte dérobée, tout cela par amour de la bonne bière». On voit que la réputation des maisons aux longs bouquets de branches ne s'était pas améliorée et que beaucoup de ceux qui les fréquentaient n'avaient guère envie de s'en vanter. Quant à payer son écot, c'est là le difficile; les passionnés de boisson qui n'ont pas d'argent s'en tirent comme ils peuvent; ils payent en nature: «Au lieu de monnaie, l'un apporte un lapin, l'autre un pot de miel, d'autres une salière, une cuiller, d'autres leurs chausses ou leurs souliers.» Les femmes donnent leur anneau de mariage, ou la cape de leur mari, «parce que la bière est bonne» (Ap. 15).

D'autres maisons isolées au bord des routes avaient encore des rapports constants avec les voyageurs; c'étaient celles des ermites. Au quatorzième siècle, les ermites ne cherchaient guère, la plupart du temps, la solitude des déserts ni la profondeur des bois. Les Rolle de Hampole, jeûnant, se mortifiant, ayant des extases, consumés par l'amour divin, étaient de rares exceptions; les autres habitaient de préférence des «cottages», construits aux endroits les plus fréquentés des grands chemins ou au coin des ponts [74]. Ils vivaient là, comme Godfrey Pratt, de la charité des passants; le pont avec sa chapelle était déjà un édifice presque sacré; le voisinage de l'ermite achevait de le sanctifier. Celui-ci réparait la construction ou passait pour le faire [75], et on lui donnait volontiers un quart de penny. C'était une race bizarre, qui, dans ce siècle de désorganisation et de réforme, où tout semble mourir ou naître, croissait et se multipliait, toujours malgré les règlements. Ils augmentaient le nombre des parasites de l'édifice religieux, abritant sous un habit respectable une vie qui ne l'était pas. Ces pousses importunes et malfaisantes s'accrochaient, comme la mousse dans l'humidité de la cathédrale, aux fissures des pierres, et par un travail lent et séculaire menaçaient de ruine le noble édifice. Quel remède apporter? Rien ne sert de faucher ces herbes toujours renaissantes; il faut qu'une main patiente, guidée par un œil vigilant, les arrache une à une et comble un à un les interstices: c'est le travail des saints et ils sont rares. Souvent les statuts épiscopaux pourront faire en apparence grande besogne, mais à la surface seulement; les têtes abattues, les racines restent et le parasite vivace plonge plus avant au cœur du mur.

Ce n'étaient pas les solennelles interdictions et les prescriptions rigoureuses qui manquaient: celles-là abattent des têtes qui renaissent toujours. Pour devenir ermite, il fallait être résolu à une vie exemplaire de misères et de privations, et il fallait, pour que l'imposture fût impossible, avoir la sanction épiscopale, c'est-à-dire posséder des «lettres testimoniales des ordinairs». On violait ces règlements sans scrupule. Au fond de sa demeure, l'être peu dévot vêtu en ermite pouvait mener une vie assez douce, et ailleurs elle était si dure! La charité des passants était suffisante pour le faire vivre, surtout s'il avait peu de scrupules et savait demander; d'ailleurs aucun travail, aucune obligation pesante; l'évêque était loin et la taverne proche. Toutes ces raisons faisaient renaître sans cesse l'espèce malfaisante des faux ermites, qui ne prenaient l'habit que pour en vivre, sans demander permission à personne. Le roi dans ses statuts [76] les confondait avec les mendiants, les cultivateurs errants et les vagabonds de toute espèce qui sans distinction devaient être emprisonnés en attendant jugement. Il n'y avait d'exception que pour les ermites *approuvés*, «forspris gentz de religion et hermytes approvez eiantz lettres testimoniales des ordinairs». Un statut comme celui-là prouve suffisamment que Langland, dans ses éloquentes descriptions de la vie des ermites, n'a pas exagéré; son vers n'est que le commentaire de la loi. L'auteur des *Visions* est du reste impartial et rend justice aux anachorètes sincères: c'est à eux que les vrais chrétiens ressemblent [77]. Mais qu'est-ce que ces faux dévots qui ont planté leur tente au bord des grands chemins ou dans les villes même, à la porte des cabarets, qui mendient sous le porche des églises [78], qui mangent et boivent largement et passent les soirées à se chauffer? Qu'est-ce que l'homme qui se repose et se rôtit, «reste hym and roste hym», près des charbons ardents, «by the hote coles [79]», et quand il a bien bu, n'a plus qu'à se mettre au lit? Tous ceux-là sont indignes de pitié et, ajoute Langland, avec ce sentiment aristocratique qu'on n'a pas assez remarqué chez lui, tous ces ermites cependant sont de vulgaires artisans, «workmen, webbes and taillours and carters knaues»; ils avaient autrefois «long labour and lyte wynnynge» (grand labeur et petit gain), mais ils remarquèrent un jour que ces frères trompeurs qu'on voyait de tous côtés «avaient les joues pleines [80]»; ils abandonnèrent donc le travail et ils prirent des vêtements qui en imposaient, comme s'ils étaient clercs, «des vêtements de prophètes». On ne les voit guère à l'église, ces faux ermites, mais on les trouve assis à la table des grands, parce que leurs habits sont respectables; et les voilà qui mangent et boivent excellemment, eux qui jadis étaient au dernier rang, aux tables de côté, ne buvant jamais de vin, ne mangeant jamais de pain blanc, sans couverture à leur lit [81].

Ces fripons échappent aux évêques, qui devraient avoir les yeux mieux ouverts. Hélas! disait en charmant langage un de nos poètes du treizième siècle, Rutebeuf:

Li abis ne fet pas l'ermite;

S'uns hom en hermitage abite

Et s'il en a les dras vestus,

Je ne pris mie deus festus

Son abit ne sa vesteure

S'il ne maine vie aussi pure

Comme son abit nous démonstre;

Mes maintes genz font bele monstre

Et merveilleux sanblant qu'il vaillent:

Il sanblent les arbres qui faillent

Qui furent trop bel au florir [82].

Sous les yeux de l'ermite placide, confortablement établi au bord de la route, sous le regard de cet homme calme qui se préparait par une vie sans trouble, sans souci ni souffrance, à l'éternité bienheureuse, coulait le flot aux couleurs changeantes des voyageurs, des vagabonds, des nomades, des errants. Sa bénédiction récompensait le passant généreux; le dur regard de l'homme austère ne suffisait pas à troubler son indifférence béate. La vie des autres pouvait se consumer rapidement, brûlée par le soleil, rongée par le souci; la sienne durait à l'ombre des arbres, se prolongeait sans secousse, bercée par le bruissement des passions humaines.

CHAPITRE III
SÉCURITÉ DES ROUTES

Le brigandage seigneurial.—Les nobles et leurs partisans.—Les bandes organisées.

Les voleurs.—Alliance des bandes de voleurs et des bandes seigneuriales.—Le droit d'asile et l'abjuration du royaume.—Les chartes de pardon.

La répression.—Dangers qu'elle présente pour le voyageur inoffensif.

Ces chemins, parcourus en tous sens par le roi et les seigneurs se rendant d'un manoir à l'autre, par les marchands qui allaient à la foire, au marché ou à l'étape, et où l'on entendait de loin en loin le grincement des chariots de paysan, étaient-ils sûrs? L'examen théorique des prescriptions légales et de la façon dont la police du comté et la garde des villes étaient organisées pourrait faire conclure que les précautions étaient bien prises pour empêcher les méfaits, et que les voyages ne présentaient pas plus de danger qu'aujourd'hui. Si l'on ajoutait, comme l'a montré M. Thorold Rogers, qu'il y avait des services réguliers de carrioles entre Oxford et Londres, Winchester, Newcastle, etc., et que le prix des transports était peu élevé, on pourrait se persuader que les routes étaient absolument sûres, et l'on aurait tort. Il ne faut pas plus les juger de la sorte qu'il ne faut voir, comme on l'a fait aussi, sur la foi des romans, des brigands dans tous les fourrés, des pendus à toutes les branches et des seigneurs pillards établis au bord de tous les ruisseaux. Seulement, il faut faire la part de l'*accident.*

L'accident joue au quatorzième siècle un rôle plus grand qu'à n'importe quelle autre époque. C'est le moment où la vie moderne commence et où l'éclat superficiel d'une nouvelle civilisation vient modifier la société du sommet à la base. La confiance est plus grande; on se fortifie moins bien chez soi, le château crénelé se transforme en villa ou en hôtel, pendant que la hutte se change en maison. On prend plus de mesures qu'autrefois pour empêcher les méfaits; mais les accidents sont nombreux qui viennent détruire ce commencement de sécurité. Au fond, la société n'est ni calme ni bien assise, et beaucoup de ses membres sont encore à moitié sauvages. On peut prendre à la lettre le terme «à moitié», c'est-à-dire que, si on faisait une liste des qualités de tel individu, on trouverait que la première partie appartient à un monde très civilisé, et la deuxième à un monde très barbare. De là ces contrastes: d'un côté, l'ordre, qu'il y aurait peut-être injustice à ne pas considérer comme l'état normal; et, de l'autre, les fréquents soubresauts de l'élément indompté. C'est ainsi, par exemple, qu'on peut voir un seigneur et les siens attendant, au coin d'une route, une caravane de marchands. Le texte même de la pétition des victimes donne tous les détails de la rencontre [83].

La scène se passe en 1342. Des marchands de Lichfield exposent à «lur seigneur le counte de Arundel» qu'un certain vendredi ils envoyèrent deux domestiques et deux chevaux chargés «de especerie et mercerie», valant quarante livres, à Stafford, pour le marché du lendemain. Quand leurs gens «vinrent dessout le boys del Canoke», ils rencontrèrent «sire Robert de Rideware, chivaler», qui les attendait en compagnie de deux valets de sa suite et qui se saisit des domestiques, des chevaux et du butin pour emmener le tout au prieuré de Lappeley. Malheureusement pour lui, pendant le trajet, un des domestiques s'échappa. Au prieuré, la bande trouve «sire Johan de Oddyngesles, Esmon de Oddyngesles et pluseurs autres, auxi bien chivalers come autres gentz». On voit que c'était un coup monté et soigneusement organisé; tout se passe suivant les règles: «entre eux tous départirent les avantditz mercerie e especerie, chescun de sa porcion solump son estat.» Cela fait, la compagnie quitte Lappeley et chevauche jusqu'au prieuré de Blythebury, occupé par des nonnes. Le chevalier Robert déclare à l'abbaye qu'ils sont gens du roi «moud travaillés» et demande l'hospitalité comme cela se faisait couramment. Mais la troupe, paraît-il, avait mauvaise apparence; l'abbesse refuse. Les chevaliers, voyant ce fâcheux accueil, enfoncent la porte des fenières, donnent «feyn et aveignes» à leurs chevaux et passent ainsi la nuit.

Mais ils n'étaient pas seuls à bien occuper leur temps. Le domestique échappé les avait suivis de loin et, quand il les vit installés au prieuré, il revint en toute hâte à Lichfield avertir le bailli, qui ne tarda pas à réunir sa troupe et à courir à la poursuite des voleurs. Ceux-ci, gens d'épée, dès qu'ils furent rejoints, «se tournèrent à défense», et un vrai combat s'engagea, dans lequel ils eurent d'abord le dessus et «naffrèrent» plusieurs de leurs ennemis. A la fin cependant ils perdent pied et s'enfuient; on leur prend toutes les épices et quatre de leur compagnie, qui sont décapités sur place immédiatement.

Robert de Rideware n'était pas au nombre des victimes et n'était pas découragé. Il rencontre, pendant que le bailli regagnait Lichfield, son parent Gautier de Rideware, seigneur de Helmstale-Rideware, avec des gens de sa suite; tous ensemble tournent bride et se mettent à la poursuite du bailli: nouvelle bataille; cette fois, l'officier du roi a le dessous et s'enfuit, pendant que les seigneurs lui reprennent définitivement les épices.

Quelle ressource restait-il aux malheureux Guillaume et Richard, auteurs de la pétition? S'adresser à la justice? C'est ce qu'ils voulurent faire. Mais, comme ils se rendaient pour cela à Stafford, capitale du comté, ils trouvèrent, aux portes de la ville, des «genz de la maintenance» de leurs persécuteurs qui leur barrèrent le passage, les attaquèrent même et si vivement qu'ils eurent grand'peine à échapper «saunz grevure». Ils rentrent à Lichfield, surveillés par leurs ennemis, et mènent une existence digne de pitié. «E sire, les avant ditz William e Richard e plusours gentz de la ville de Lichfield sount menacé desditz larons e lour meintenours, qu'ils n'osent null part aler hors de ladite ville.»

Ce document juridique, dont l'original existe encore, est, on le voit, passablement caractéristique, et l'on peut juger que ces seigneurs et leurs aides n'étaient pas sans ressemblance avec ceux des *Promessi sposi* et leurs terribles *bravi.* Ici, presque tout est à noter: le sang-froid et la détermination des chevaliers, que la mort de quatre d'entre eux ne déconcerte pas; l'attaque à la faveur d'un bois; le choix des victimes: des valets de riches marchands; la demande de l'hospitalité dans un prieuré sous prétexte qu'on voyage pour le service du roi; la justice expéditive du bailli et la surveillance obstinée à laquelle les démarches des victimes sont soumises par leurs tyrans.

Ces faits ne sont pas uniques, et Robert de Rideware n'était pas seul à faire le guet dans les taillis au bord des routes. Beaucoup d'autres seigneurs étaient entourés connue lui d'hommes dévoués et prêts pour toutes les entreprises. On leur donnait des capes et des livrées aux couleurs du maître, qui permettaient de les reconnaître aisément; un lord bien entouré de ses partisans se considérait comme au-dessus du droit commun, et la justice n'avait pas beau jeu à vouloir se faire respecter de lui. La coutume d'avoir à soi quantité de serviteurs déterminés portant vos couleurs devint universelle à la fin du règne d'Édouard III et sous Richard II; elle subsista, malgré les statuts [84], pendant tout le quinzième siècle, et contribua grandement à rendre les guerres seigneuriales de cette époque acharnées et sanglantes.

Mais, même en dehors des périodes de guerre civile, les méfaits commis par certains barons et leurs fidèles ou même simplement par leurs fidèles agissant pour leur propre compte sous couvert de la cape aux couleurs du lord, étaient parfois si fréquents et si graves qu'on eût pu dans beaucoup de comtés se croire en guerre. Les considérants d'un statut de la deuxième année de Richard II [85] font de ces désordres un tableau un peu exagéré peut-être pour mieux justifier les mesures de rigueur, mais dont le fond doit être vrai: on y voit (et le roi l'a appris à la fois par les pétitions formelles adressées au parlement et par la rumeur publique) que certaines gens dans plusieurs parties du royaume prétendent avoir droit à «diverses terres, tenementz et autres possessions, et aucuns espiants dames et damoiselles nient mariez, et aucuns desirantz à faire maintenance en lour marchees, se coillent ensemble à grant nombre des gentz armez et archiers à fier de guerre, et soi entrelient par serment, et par autre confederacie». Ces gens-là, n'ayant aucune «consideration à Dieu, ne as loys de Seintz Eglise, ne de la terre ne à droit, ne à justice, einz refusantz et entrelessants tout procès de ley, chivachent en grantz routes en plusours parties d'Engleterre, et preignent possession et se mettent einz en diverses manoirs, terres et autres possessions, de lour propre auctoritée, et les tiegnent longement à tiel force, y feisants mou des maners d'apparaillementz de guerre et en aucuns lieux ravissent dames et damoiselles et les enmesnent en estraunge paiis où lour plest; et en aucuns lieux en tieux routes gisent en agaite et batent, mahaiment et mordrent et tuont les genz pur lour femmes et biens avoir, et celles femmes et biens reteignont à lour propre oeps; et à la foitz preignent à force les liges le roi en lour propre maisons et les amesnent et detiegnent come prisoners, et au darrien les mettont à fyn et à raunceone *come ceo fuis en terre de guerre*; et à la foitz viegnent devant justices en lour sessions, a tielle guise ove grant force, paront les justices sont moeltz esbaiez ou ne sont hardiz de faire la ley; et plusours autres riotes et horribles malx faitz y font; paront le roialme en diverses parties est mys en grant troboill à grant meschef et anientissement de povre poeple [86]...» Au Bon Parlement, en 1376, les communes avaient déjà fait des plaintes semblables: «Item supplie la commune qe come ore de novel grande riote si comence par pluseurs gentz en diverses parties d'Engleterre, qe chivachent ove grand nombre des gentz armez,» etc. [87]...

A côté de ces bandes organisées et quasi seigneuriales, il y avait les voleurs ordinaires, contre lesquels Édouard Ier avait pris en 1285 des mesures spéciales dans son statut de Winchester. Il est constaté dans cet acte que les malfaiteurs ont coutume de se «tapir» dans les fossés, taillis ou buissons du voisinage des routes, surtout de celles qui relient deux villes marchandes. C'est qu'en effet c'était le lieu de passage de victimes faciles et richement chargées. Aussi le roi ordonne-t-il que le bord des grands chemins sera défriché à une distance de deux cents pieds de chaque côté, de façon qu'il n'y reste ni taillis, ni buisson, ni creux, ni fosse qui puisse servir à abriter des malfaiteurs. On pourra seulement laisser subsister les gros arbres tels que les chênes. C'est au propriétaire du sol à faire ces travaux; s'il les néglige, il sera responsable des vols et des meurtres et payera amende au roi. Si la route traverse un parc, même obligation pour le seigneur, à moins qu'il ne consente à le clore par un mur ou par une haie si épaisse ou par un fossé si large et si profond que les voleurs ne puissent le franchir ou y trouver un abri avant ou après leurs attaques.

Mais, à mesure qu'on avance dans le quatorzième siècle, on trouve que ces larrons vulgaires ont découvert un meilleur emploi de leurs énergies sans changer tout à fait d'état. Ils s'allient, tantôt secrétement et tantôt ouvertement, aux bandes seigneuriales et ne sont plus désormais gens sans aveu pour qui personne ne peut répondre. C'est ce dont se plaignent encore les communes: «Item prie ladite commune qe come notoriment soit conuz *par touz les countées d'Engleterre* qe robeours, larons et autres meffesours, à pée et à chival, vont et chivachent à grant route par tote la terre en diverses lieus, et font larcines et roberies; qe plaise à nostre seigneur le roi *charger les grantz de la terre que nul tiel soit meyntenuz par eux*, en privé n'en apert; mes qu'ils soient en eaide de arester et prendre tiels malveyses [88].» Au précédent parlement, les mêmes plaintes avaient été faites, et le roi avait déjà promis qu'il ordonnerait «tiel remedie qe [serrait] pleisaunt à Dieu et à homme [89].»

Tous ces malfaiteurs, sans compter l'appui des grands, avaient de beaux privilèges. On en rencontrait quelquefois qui suivaient les routes, une croix à la main: à ceux-là il était défendu de toucher de par le roi et sainte Église; c'étaient des gens qui avaient *forjuré le royaume*. Quand un voleur, un meurtrier, un félon quelconque se sentait serré de trop près, il se jetait dans une église et se trouvait en sûreté. L'église était un lieu sacré, et quiconque en avait franchi le seuil était couvert par la protection de Dieu. En tirer les gens était un sacrilège qui emportait excommunication. Nicolas le Porter avait aidé à arracher de l'église des Carmes de Newcastle des laïques qui s'y étaient réfugiés «pro vitæ suæ securitate», et qui, une fois livrés à l'autorité civile, avaient été exécutés. Il lui fallut, pour obtenir son pardon, employer l'intermédiaire du nonce du pape et se soumettre à une pénitence publique bien contraire aux coutumes d'aujourd'hui:

«Nous ordonnons, écrit l'évêque Richard au curé de Saint-Nicolas de Durham, que les lundi, mardi et mercredi de la semaine de la Pentecôte qui vient, il aille recevoir, en chemise, nu-tête et nu-pieds, devant le portail de votre église, en présence de la foule du peuple, le fouet de vos mains publiquement [90]. Il y proclamera lui-même, *en anglais*, le motif de sa pénitence et avouera sa faute, et quand il aura reçu ainsi le fouet, ledit Nicolas se rendra à l'église cathédrale de Durham, nu-tête, nu-pieds et vêtu comme dessus; il marchera devant, vous le suivrez, et vous le fustigerez de même devant la porte de la cathédrale, ces trois mêmes jours, et il y recommencera les déclarations que j'ai dites» (Ap. 16).

Pour les voleurs, ce droit d'asile était précieux. Ils s'échappaient de prison, couraient à l'église et avaient la vie sauve: «En cele an (18 Éd. II), disent les *Croniques de London* [91], X personnes eschaperent hors de Neugate, des queux V furent remenez e IIIJ eschaperent à l'esglise Seint-Sépulcre et un à l'esglise Seint-Bride et après, touz forsjurerent Engleterre.» Mais quand les malheureux étaient guettés dans l'église par leurs ennemis personnels, leur situation devenait dangereuse. C'est ce que montrent les statuts du royaume en 1315-1316. Les auteurs d'une pétition [92] exposent au roi que des gens armés s'établissent dans le cimetière et jusque dans le sanctuaire pour surveiller le fugitif, et le gardent si étroitement qu'il ne peut même pas sortir pour satisfaire à ses besoins naturels. On empêche la nourriture de lui arriver; si le félon se décide à jurer qu'il quittera le royaume, ses ennemis le suivent sur la route et, malgré la protection de la loi, l'en arrachent et le décapitent sans jugement. Le roi réforme tous ces abus [93] et prescrit l'application des règlements anciens sur l'abjuration, c'est-à-dire des suivants: «Lorsqu'un voleur, un homicide ou un malfaiteur quelconque a fui dans une église et qu'il a reconnu son crime, que le coroner fasse faire l'abjuration ainsi: le félon sera conduit à la porte de l'église, et un port rapproché ou non lui sera assigné et un terme fixé pour quitter le royaume. Tant qu'il sera en route, il tiendra une croix à la main et ne s'écartera du grand chemin ni à droite ni à gauche, mais le suivra jusqu'à ce qu'il ait quitté le royaume, et il n'y reviendra pas sans que le roi lui ait fait grâce [94].»

Le félon jurait en ces termes: «Entends ceci, sire coroner, moi N. j'ai volé des moutons ou tel autre animal, ou j'ai tué une ou plusieurs personnes et je suis félon à notre seigneur le roi d'Angleterre. Et pour avoir commis quantité de méfaits, larcins, etc., dans sa terre, j'abjure la terre de notre seigneur E. roi d'Angleterre. Et je me hâterai d'aller à tel port que tu m'as fixé; je ne quitterai pas la grand'route, et si je le fais, je consens à être pris et traité en voleur et félon de notre seigneur le roi. Dans tel port, je chercherai activement passage et n'y resterai que l'espace d'une marée si je peux trouver passage; et si je ne peux trouver passage pendant ce délai, j'irai tous les jours dans la mer jusqu'aux genoux, essayant de traverser, et si je ne peux, au bout de quarante jours, je rentrerai dans une église comme voleur et félon de notre seigneur le roi. Et que Dieu m'aide!»

A l'église, les voleurs se trouvaient en compagnie des débiteurs insolvables. Ceux-ci, avant d'y venir, faisaient des donations générales de tous leurs biens, et les créanciers qui les citaient en justice se trouvaient n'avoir aucune prise sur eux. En 1379 [95], Richard II remédie à cet inconvénient. Pendant cinq semaines, une fois par semaine, le débiteur sera sommé, par proclamation faite à la porte du sanctuaire, de comparaître en personne ou par attorney devant les juges du roi. S'il s'abstient jusqu'au bout, on passera outre; un jugement sera rendu, et les biens qu'il avait donnés seront partagés entre ses créanciers.

Ce ne fut encore qu'un remède temporaire. Dans les premières années du règne suivant, nous trouvons les communes présentant au roi leurs doléances sur ces mêmes abus: des apprentis quittent leurs maîtres avec les biens de ceux-ci, des marchands endettés, des voleurs s'enfuient à Saint-Martin-le-Grand et y vivent tranquillement de l'argent qu'ils ont dérobé. Ils emploient les loisirs que leur laisse cette existence paisible à fabriquer patiemment des chartes, obligations et quittances fausses, imitant les signatures et cachets des marchands honnêtes de la cité. Quant aux brigands et meurtriers, ils sont là bien à leur aise pour préparer de nouveaux crimes; ils sortent de nuit pour les exécuter et rentrent au matin, en parfaite sécurité, dans leur inviolable repaire. Le roi se borne à promettre vaguement que «raisonable remedie ent serra fait».

Un clerc qui fuyait dans une église n'était pas obligé de quitter l'Angleterre; il jurait qu'il était clerc et «jouissait du privilège ecclésiastique, suivant la louable coutume du royaume» (9 Éd. II, ch. XV). Mais l'Église, qui accordait à tous venants le bénéfice de l'asile, se réservait la faculté de l'enlever: «En cele an (14 Éd. II), une femme qe avoit noun Isabele de Bury tua le clerk de l'esglise de Toutz Seintz près del mur de Loundres et ele se tint en mesme l'esglise V jours, taunt que l'esvesque de Loundres maunda sa lettre qe le esglise ne la voleit saver, par quei ele fut mené hors de l'esglise à Neugate et le tierze jour après ele fut pendu [96].»

Dans ce temps où les émeutes et les révolutions n'étaient pas rares, le droit d'asile pouvait servir à tous; aussi c'était bien en vain que Wyclif protestait et en demandait la suppression. Un évêque, si sacrée que fût sa personne, pouvait être exposé lui-même à presser son cheval de l'éperon et à fuir vers une église pour sauver sa tête. Ce fut le cas pour l'évêque d'Exeter, lorsque Isabelle et son fils vinrent renverser Édouard II [97]: «Taunt tost, mesme le jour, vint un sire Wauter de Stapulton, qe fu eveske de Exestre, et l'an devant le tresorer le roy, chivachant vers son hostel en Eldedeaneslane, à son manger, et là fut il escrié traitour; et il le voyaunt, chivacha à la fuite devers l'esglise Seint-Poul et fut là encountré et tost deschivaché et mené en Chepe et là fut il despouillé et sa teste coupé.»

Sous Richard III, on put voir une reine et un fils de roi refuser de quitter l'enceinte sacrée de Westminster et garder un temps la vie sauve grâce à la sainteté du lieu. Sir Thomas More a laissé dans son histoire de l'usurpateur, la première véritable histoire en langage national que compte la littérature anglaise, un tableau saisissant du courage de la veuve d'Édouard IV et de la grande querelle suscitée par Richard pour arracher de l'abbaye le second enfant du feu roi. Aux demandes réitérées qui lui étaient faites, la reine répondait: «Où donc croirais-je mon fils en sûreté, si ce n'est dans ce sanctuaire qu'aucun tyran n'a été jusqu'ici assez diabolique pour violer?... Certes il a trouvé un bon subterfuge: ce lieu, qui peut sauvegarder un voleur, ne pourrait pas protéger un innocent?...» Le subterfuge de Richard III consistait simplement à faire abolir le droit de sanctuaire. Dans son discours en faveur de la mesure, qui vise en particulier les asiles de Saint-Paul et de Westminster, le duc de Buckingham fait une peinture très vive et, du reste, exacte des désordres que ce droit de refuge entretenait: «Quel ramassis de voleurs, dit-il, de meurtriers, de traîtres odieux et perfides ne voit-on pas dans ces deux asiles en particulier!.. Des femmes y courent avec l'argenterie de leurs maris et disent qu'elles n'osent pas demeurer chez elles, de crainte d'être battues. Les larrons y apportent le produit de leurs vols et vivent avec. Ils y trament de nouveaux méfaits; ils sortent la nuit, volent, pillent, tuent et rentrent, comme si ces lieux, non seulement les rendaient quittes pour le mal qu'ils ont fait, mais leur donnaient licence d'en faire davantage.» Le clergé ne nie aucun de ces abus; mais il trouve regrettable qu'une atteinte soit portée à un droit aussi ancien et aussi sacré (Ap. 17).

Pourtant ce privilège subsista et survécut même à l'introduction de la réforme en Angleterre; il fut toutefois moins respecté à partir de ce moment. Le chancelier Bacon cite le sanctuaire de Colnham, près Abingdon, qui fut jugé «insuffisant» pour des traîtres; on y saisit sans façon, sous Henri VII, plusieurs criminels politiques qui s'y étaient réfugiés et l'un d'eux fut exécuté [98]. Divers sanctuaires furent supprimés en 1697; ceux qui restaient disparurent à leur tour sous Georges Ier, époque à laquelle l'asile de Saint-Pierre à Westminster fut démoli.

Avec toutes leurs sévérités pénales, la loi et l'usage donnaient encore aux malfaiteurs d'autres encouragements. Ils recevaient fréquemment des chartes de pardon; la chancellerie royale les accordait volontiers parce qu'il fallait payer pour les avoir, et les communes renouvelaient sans se lasser leurs plaintes contre ces criants abus. Il est certain que ces chartes se vendaient. Le clerc Jean Crochille expose au roi en parlement que, pendant qu'il était à la cour de Rome, il a été mis hors la loi et à son retour emprisonné. Le chancelier lui a accordé une charte de pardon; mais il est «taunt enpoveri q'i n'ad de qi pur l'avaunt dit chartre paier [99]».

Les chartes se donnaient ainsi aux innocents pour de l'argent et aux «communes felonnes et murdrers» de même, ce qui avait deux résultats: d'abord le nombre des brigands augmentait en raison de l'impunité; ensuite on n'osait plus poursuivre en justice les criminels les plus redoutables, de crainte de les voir revenir pardonnés et prêts à se venger terriblement. Malheureusement, outre le bénéfice des taxes perçues, il y avait pour le maintien de cet abus l'intérêt que les seigneurs gardaient à sa continuation. Inséparables de leurs hommes, ils savaient les défendre en justice comme ceux-ci les défendaient dans la rue ou sur la route, et le meilleur moyen de sauver ces *bravi* des suites de quelque assassinat était de leur obtenir, de leur acheter une charte de pardon. Les communes ne l'ignoraient pas et rappelaient au roi que souvent les seigneurs, protecteurs de scélérats, obtenaient pour eux des chartes en affirmant qu'ils étaient à l'étranger, occupés à se battre pour le prince. La charte obtenue, les brigands revenaient et recommençaient leurs méfaits [100], sans peur d'être inquiétés par personne. Pour toutes ces causes, le voyageur n'aurait pas été prudent s'il n'avait pas prévu au départ le cas d'une mauvaise rencontre et s'il ne s'était pas armé en conséquence. C'était là une nécessité reconnue, et c'est pour cela que le chancelier de l'université d'Oxford défendait strictement aux étudiants de porter des armes, *sauf en cas de voyage* [101].

On n'était donc guère en sûreté contre les voleurs, et on ne l'était même pas toujours contre les gens du shériff. A cette époque de défiance où les rôdeurs étaient si nombreux, il suffisait d'être étranger au pays, surtout si c'était la nuit, pour que, sur un soupçon, on fût envoyé à la geôle, comme on le voit par un statut d'Édouard III [102]. Rien de plus général que les termes de cette loi; le pouvoir de faire arrêter est presque sans limites: «Item come en l'estatut fait à Wincestre en temps meisme le roi l'ael [103] soit contenuz qe si nul estraunge passe par pais de nuyt de qi homme ait suspecion, soit maintenant arestu et livré au visconte, et demoerge en gard tant q'il soit duement delivrés; et diverses roberies, homicides et felonies ont esté faitz einz ces heures par gentz qi sont appelez Roberdsesmen, Wastours, Draghlacches...» Que quiconque soupçonne un passant d'appartenir à une de ces bandes, «soit il de jour, soit il de nuyt,» le fasse arrêter sur-le-champ; on le mènera au constable de la ville prochaine, qui le gardera en prison et fera enquête en attendant que le *justice* vienne. Or, supposez qu'un étranger passe de nuit par la ville; la garde l'arrête, il se voit déjà en prison «jusqu'à ce que le *justice* vienne» et se met à courir au lieu de se laisser prendre: le statut a prévu le cas [104]: «Si eus ne soeffrent pas estre aresteuz, seit heu e cri levé sur eus, e ceus qi funt la veille les siwent o tute la ville ove les visnées viles o heu e cri de vile en vile jesqes taunt q'il serra pris et livrez au viscunte.» Singulier tableau!... C'est au milieu de la nuit, l'étranger est un voleur peut-être, peut-être un honnête homme qui a perdu sa route ne connaissant pas la ville; sa faute est de n'être pas rentré au couvre-feu; il cherche à tâtons son chemin dans les ruelles obscures; la garde l'aperçoit et l'interpelle; il fait les réflexions qu'on imagine, et voilà la huée et le cri qui commencent, la garde qui court, la ville qui s'éveille, les lumières qui paraissent et, petit à petit, les plus zélés qui se mettent à sa poursuite. Si la ville est fortifiée, les poternes sont fermées depuis longtemps, et il sera sûrement pris. A peine peut-il espérer se jeter dans quelque porte mal jointe à un tournant de rue et se tenir blotti derrière, écoutant, la main tremblante, le cœur battant, la garde qui passe lourdement, au pas de charge, entourée comme d'un nuage de clameurs furieuses. Le nombre des pas diminue et les clameurs se font moins entendre, puis vont s'éteignant, perdues dans les profondeurs de la cité.

Mais si la ville n'est qu'une bourgade non close de murs, le premier mouvement du fugitif sera de gagner la campagne, et alors, qu'il ne craigne pas les marais, les fossés, les haies; qu'il sache, à un pli de terrain, quitter la grand'route et profiter d'un endroit où l'on aura mal appliqué le statut de Winchester. Sans cela il est perdu; la garde le suit, la ville le suit, la huée continue, et au prochain village la scène du départ va recommencer. Les habitants, avertis par la clameur, allument déjà leurs lanternes, et les voilà eux aussi en chasse. Avant le bout de la grand'rue, quelque paysan plus alerte se trouvera prêt au passage pour barrer la route. Tous y ont intérêt, tous ont été volés, ou leurs parents ou leurs amis; quelqu'un des leurs a été blessé, assassiné sur la route comme il revenait du marché. Tout le monde a entendu parler de mésaventures pareilles et se sent menacé personnellement. De là ce zèle à se mettre en chasse au bruit de la huée et la conviction que, pour courir si fort et faire courir tant de monde, le fugitif doit être un brigand redoutable qu'attend le gibet [105].

DEUXIÈME PARTIE
LA VIE NOMADE

«Qui ne s'adventure n'a cheval ni mule, ce
dist Salomon.—Qui trop s'adventure perd cheval
et mule, respondit Malcon.»

L'aspect et l'état habituel des routes anglaises étant connus, il faut prendre à part les principaux types de la classe errante et voir quel genre de vie menait le nomade et quelle sorte d'importance il avait dans la société ou dans l'État.

Les nomades appartenant à la vie civile étaient, en premier lieu, les marchands de drogues, les bouffons, les jongleurs, les musiciens et les chanteurs ambulants, puis, dans un ordre plus important au point de vue social, les *outlaws*, les larrons de toute sorte et les ouvriers errants.—A la vie ecclésiastique appartenaient les prêcheurs, les frères mendiants et ces étranges marchands d'indulgences qu'on appelait pardonneurs.—Enfin il y avait les pèlerins, dans les rangs desquels, comme dans le livre de Chaucer, clercs et laïques allaient confondus.

Certains de ces individus, les frères notamment, avaient, il est vrai, un point d'attache; mais leur existence s'écoulait en majeure partie sur les routes; ils n'avaient pas de but fixe et quêtaient à l'aventure; ils avaient pris à la longue les mœurs et le parler des véritables nomades et, dans l'opinion commune, ils se confondaient le plus souvent avec ceux-ci: c'est à cette famille d'êtres qu'ils se rattachent.

Quant à la race étrange que nous voyons, aujourd'hui encore, errer de pays en pays et qui, la dernière, représentera parmi nous la caste des errants, elle n'avait pas encore fait son apparition dans le monde britannique et nous n'avons pas à nous en occuper. Bohémiens ou *gipsies* demeurent jusqu'au quinzième siècle entièrement inconnus en Angleterre.

CHAPITRE I

HERBIERS, CHARLATANS, MÉNESTRELS, CHANTEURS ET BOUFFONS

Le guérisseur ambulant.—L'herbier de Rutebeuf.—Les charlatans et les médecins en Angleterre.—Le saltimbanque de Ben Jonson.—Le charlatan d'aujourd'hui.

Les jongleurs et les ménestrels.—Leur popularité.—En quoi consistent leurs chants.—Leur rôle dans les fêtes seigneuriales et dans les festins.—Les troupes au service du roi.—Les troupes au service des nobles.—Les instruments de musique.

La concurrence.—La guild des ménestrels et son monopole.—Les faux ménestrels.—Rôle des ménestrels dans les mouvements populaires, leurs doctrines libérales.—Le noble tolère ces doctrines; le peuple se les assimile.

Causes de la disparition des ménestrels.—L'invention de l'imprimerie.—Le perfectionnement de l'art théâtral.

Les bouffons et les faiseurs de tours.—Grossièreté de leurs jeux.—Ils s'associent aux ménestrels.—La réprobation publique les atteint les uns et les autres à la Renaissance.

Les plus populaires de tous les errants étaient naturellement les plus gais ou ceux qui passaient pour les plus bienfaisants. Ceux-ci étaient les gens à panacée universelle, très nombreux au moyen âge; ils couraient le monde vendant la santé. Les jours de chômage ils s'établissaient sur la place des villages, étendaient à terre un tapis ou un morceau d'étoffe, étalaient leurs drogues et commençaient à haranguer le peuple. On peut entendre encore aujourd'hui des discours pareils à ceux qu'ils tenaient, au quatorzième siècle, en Angleterre, en France, en Italie; leur profession est une de celles qui ont le moins changé. Au treizième siècle, l'*herbier* de Rutebeuf parlait comme le saltimbanque de Ben Jonson au seizième siècle, comme le charlatan qui attirait hier, à cent pas de nos portes, la foule à ses tréteaux. Grandes paroles, récits merveilleux, éloge de leurs origines nobles, lointaines, énumération des guérisons extraordinaires qu'ils ont faites, étalage d'un dévouement sans bornes au bien public, d'un complet désintéressement pécuniaire, on retrouve cela et on le retrouvera à jamais dans les discours de tous ces nomades insinuants.

«Belles gens, disait, il y a six cents ans, le marchand d'herbes médicinales de Rutebeuf, je ne suis pas de ces pauvres prêcheurs ni de ces pauvres herbiers qui vont par devant ces moutiers, avec leurs pauvres chappes mal cousues, qui portent boites et sachets et étendent un tapis.... Sachez que de ceux-là ne suis-je pas, mais suis à une dame, qui a nom madame Trote de Salerne, qui fait couvre-chef de ses oreilles, et les sourcils lui pendent à chaînes d'argent par-dessus les épaules; et sachez que c'est la plus sage dame qui soit dans les quatre parties du monde. Ma dame nous envoie en diverses terres et en divers pays, en Pouille, en Calabre.... en Bourgogne, en la forêt des Ardennes pour occire les bêtes sauvages et en traire les bons oignements, pour donner médecines à ceux qui ont des maladies au corps.... Et pour ce qu'elle me fit jurer sur les saints quand je me départis d'elle, je vous apprendrai à guérir du mal des vers si vous voulez ouïr. Voulez-vous ouïr?

«.... Ôtez vos chaperons, tendez les oreilles, regardez mes herbes que ma dame envoie en ce pays et en cette terre; et pour ce qu'elle veut que les pauvres y puissent aussi bien avenir comme les riches, elle me dit que j'en fisse denrée (que je les vendisse par portions d'un denier), car tel a un denier en sa bourse qui n'y a pas cinq livres; et elle me dit et me commanda que je prisse un denier de la monnaie qui courrait dans le pays et la contrée où je viendrais....

«Ces herbes, vous ne les mangerez pas; car il n'est si fort bœuf en ce pays ni si fort destrier qui, s'il en avait aussi gros qu'un pois sur la langue, ne mourût de male mort, tant sont fortes et amères.... Vous les mettrez trois jours dormir en bon vin blanc; si vous n'avez blanc, prenez vermeil; si vous n'avez vermeil, prenez de la belle eau claire, car tel a un puits devant son huis qui n'a pas un tonneau de vin en son cellier. Si vous en déjeûnez par treize matins.... vous serez guéris des diverses maladies... Car si mon père et ma mère étaient en péril de mort et ils me demandaient la meilleure herbe que je leur pusse donner, je leur donnerais celle-là.

«En telle manière vends-je mes herbes et mes oignements: qui voudra en prenne; qui n'en voudra les laisse [106].»

Cet herbier était de ceux qu'en France et en Angleterre les ordonnances royales poursuivaient pour exercice illégal de la médecine. Philippe le Bel, en 1311, Jean le Bon, en 1352, avaient rendu contre eux des arrêts sévères. Ils leur reprochaient «d'ignorer le tempérament des hommes, le temps et la manière convenables pour opérer, les vertus des médecines, surtout des médecines laxatives, en lesquelles gît péril de mort». Ces gens-là, «venus souvent de l'étranger,» parcouraient la ville et les faubourgs et se permettaient d'administrer aux malades trop confiants «clisteria multum laxativa et alia eis illicita [107]», ce dont l'autorité royale était justement indignée.

En Angleterre, les vendeurs de drogues ambulants n'avaient pas meilleure réputation; les chants et les satires populaires nous les montrent toujours frayant dans les tavernes avec la pire société. Pour se faire une idée de ce que pouvaient être leurs recettes, il faut se rappeler ce qu'était la médecine protégée par les statuts du royaume. Il faut se dire que Jean de Gaddesden, médecin de la cour sous Édouard II, faisait disparaître les traces de la petite vérole en enveloppant le malade dans des draps rouges; il avait traité ainsi l'héritier même du trône. Il avait été longtemps embarrassé pour guérir la pierre: «A la fin, dit-il dans sa *Rosa Anglica*, je pensai à faire recueillir une bonne quantité de ces scarabées qu'on trouve en été dans la fiente des bœufs, et de ces cigales qui chantent aux champs: je coupai les têtes et les ailes des cigales et les mis avec les scarabées et de l'huile ordinaire dans un pot; je le couvris et le laissai ensuite, pendant un jour et une nuit, dans un four à pain. Je retirai le pot et le chauffai à un feu modéré; je broyai le tout et frottai enfin les parties malades; en trois jours la douleur avait disparu;» sous l'influence des scarabées et des cigales, la pierre s'était brisée en morceaux. C'est presque toujours ainsi, par une illumination subite, que ce médecin découvre ses remèdes les plus efficaces; madame Trote de Salerne ne confiait pas à ses agents dans les diverses parties du monde le secret de recettes plus merveilleuses et plus inattendues (Ap. 18).

N'importe, entre un médecin de cour et un charlatan de carrefour, la loi distinguait fort nettement. Un Gaddesden avait, pour appliquer aux patients ses médicaments étranges, l'appui d'une renommée établie et il offrait la garantie de sa haute situation. Il avait étudié à Oxford et il faisait autorité; un médecin sérieux comme le docteur de Chaucer, qui s'était tant enrichi pendant la peste, ne négligeait pas de lire et de méditer ses écrits. Sans avoir moins de science ni surtout d'ingéniosité, l'herbier errant était moins avantageusement connu; il ne pouvait pas, comme le médecin du roi, s'autoriser de sa bonne réputation pour faire avaler des vers luisants à ses malades, les frotter de scarabées et de cigales, leur donner en remède «sept têtes de chauves-souris grasses [108]»; le législateur se précautionnait en conséquence. A la campagne, de même que la plupart des autres nomades, le guérisseur sans brevet trouvait moyen presque toujours d'échapper à la rigueur des statuts; mais malheur à lui s'il se hasardait à tenter publiquement des cures en ville! Pour avoir voulu guérir une femme en lui faisant porter sur la poitrine un certain parchemin, le malheureux Roger Clerk se vit poursuivre en 1381 pour pratique illégale de la médecine dans Londres. Il fut mené au pilori, «par la ville au son des instruments», à cheval sur un cheval sans selle, son parchemin au cou; de plus, aussi au cou, un vase de nuit et une pierre à aiguiser, en signe qu'il avait menti; un autre vase de nuit lui pendait dans le dos [109].

Inquiet de la recrudescence de ces abus, Henri V rendit, en 1421, une *Ordinance encontre les entremettours de fisik et de surgerie*, «pur ouster meschieves et perils qi longement ont continuez dedeinz le roialme entre les gentz parmi ceux q'ont usez l'arte et le practik de fisik et surgerie, pretendantz soi bien et sufficeaument apris de mesmes les arts, où de vérité n'ont pas estez».

Désormais il y aura des châtiments sévères pour tous les médecins qui n'auront pas été *approuvés* en leur art, «c'est assavoir, ceux de fisik en les universitées, et les surgeons entre les mestres de cell arte [110]». Les désordres se renouvellent comme avant, ou peu s'en faut; pour donner plus d'autorité à la médecine reconnue par l'État, Édouard IV, la première année de son règne, constitue en corporation la société des barbiers de Londres.

La Renaissance arrive et trouve les barbiers, les charlatans, les empiriques, les sorciers, continuant de prospérer sur le sol britannique. Henri VIII le constate avec regret et promulgue de nouveaux règlements: «La science et l'art de la médecine et de la chirurgie, dit le roi dans son statut, à la parfaite connaissance desquels sont nécessaires à la fois de profondes études et une mûre expérience, sont journellement appliqués dans ce royaume par une multitude d'ignorants. Beaucoup d'entre eux n'ont aucune notion de ces sciences, ni connaissances d'aucune sorte; il en est même qui ne savent pas lire: si bien qu'on voit des artisans ordinaires, des forgerons, des tisserands, des femmes, entreprendre avec audace et constamment des cures importantes et des choses de grande difficulté. A l'accomplissement de quoi ils usent, partie de sortilèges et incantations, partie de remèdes si impropres que les maladies augmentent: au grand déplaisir de Dieu....» En conséquence, toute personne qui voudra pratiquer la médecine dans Londres ou à six milles à la ronde devra auparavant subir un examen devant l'évêque de la capitale, ou devant le doyen de Saint-Paul, assisté de quatre «doctours of phisyk». En province l'examen aura lieu devant l'évêque du diocèse ou son vicaire général. En 1540, le même prince fusionne la corporation des barbiers et la société des chirurgiens, et accorde chaque année à la nouvelle association les cadavres de quatre criminels pour étudier sur eux l'anatomie.

A peine tous ces privilèges étaient-ils concédés, qu'un revirement complet se fait dans l'esprit des législateurs, et qui s'avise-t-on de regretter? précisément ces anciens guérisseurs non brevetés, ces possesseurs de secrets infaillibles, ces empiriques de village si durement traités dans le statut de 1511. Une nouvelle ordonnance est rendue, qui n'est qu'un long réquisitoire contre les médecins autorisés: ces docteurs certifiés empoisonnent leurs clients tout aussi bien que les anciens charlatans, seulement ils prennent plus cher. «Préoccupés de leurs propres gains, et nullement du bien des malades, ils ont poursuivi, troublé et harcelé diverses honnêtes personnes, hommes et femmes, à qui Dieu avait accordé l'intuition de la nature et des effets de certaines herbes, racines et eaux.... lesquelles personnes cependant ne prennent rien en récompense de leur savoir et de leur habileté, mais administrent les remèdes aux pauvres en bons voisins, pour l'amour de Dieu, par pitié et charité. On sait de reste, au contraire, que les médecins certifiés ne veulent guérir personne s'ils ne sont assurés d'une rémunération plus élevée que la cure ne mérite; car s'ils consentaient à traiter pour rien les malades, on ne verrait pas un si grand nombre de ceux-ci pourrir et languir jusqu'à la mort, comme on voit chaque jour, faute des secours de la médecine.» D'ailleurs, malgré les examens de l'évêque de Londres, «la plupart des personnes de cette profession ont bien peu de savoir»; c'est pourquoi tous les sujets du roi ayant, «par spéculation ou pratique», connaissance des vertus des plantes, racines et eaux, pourront, comme auparavant, nonobstant les édits contraires, guérir au moyen d'emplâtres, cataplasmes et onguents toutes les maladies apparentes à la surface du corps, cela «dans tout le royaume d'Angleterre ou dans toute autre des possessions du roi [111]».

Le changement, comme on voit, était radical: les secrets des villageoises n'étaient plus des secrets de sorcières, c'étaient des recettes précieuses dont elles avaient reçu de Dieu l'intuition; les pauvres, exposés à mourir sans médecin, se réjouirent; les charlatans respirèrent. Ben Jonson, ce marcheur intrépide qui, parti de Londres, un bâton à la main, alla à pied par plaisir jusqu'en Écosse, qui connaissait si bien les habitués des fêtes anglaises, nous a laissé le vivant portrait d'un charlatan, portrait qui est spécialement celui d'un Vénitien du dix-septième siècle, mais qui demeure vrai encore aujourd'hui et le sera, pour tous les pays, dans tous les temps. Les caractères de cette sorte sont presque immuables; le héros de Jonson est le même individu que celui dont Rutebeuf, trois siècles et demi plus tôt, avait relevé les discours. Sûrement, dans ses visites à Smithfield en temps de foire, le dramaturge avait entendu maint empirique s'écrier, la voix émue, les yeux au ciel: «Ah! santé! santé! la bénédiction du riche! la richesse du pauvre! qui peut t'acheter trop cher, puisqu'il n'est sans toi de plaisir en ce monde?» Sur quoi l'orateur de Jonson raille ses collègues, vante sa panacée incomparable, dans laquelle entre un peu de graisse humaine, qui vaut mille couronnes, mais qu'il laissera pour huit couronnes, non, pour six, enfin pour six pence. Mille couronnes, c'est ce que lui ont payé les cardinaux Montalto et Farnèse et le grand-duc de Toscane son ami; mais il méprise l'argent, et pour le peuple il fait des sacrifices. Il a également un peu de la poudre qui a rendu Vénus belle et Hélène aussi; un de ses amis, grand voyageur, lui en a envoyé, qu'il a trouvée dans les ruines de Troie. Cet ami en a expédié encore un peu à la cour de France, mais cette partie était mélangée, et les dames qui s'en servent n'en obtiennent pas d'aussi bons effets [112].

Trois ans plus tard, un Anglais qui ne connaissait pas la comédie de Jonson, se trouvant à Venise, s'émerveillait des discours des saltimbanques italiens et, croyant donner à ses compatriotes des détails nouveaux sur cette race plus florissante dans la péninsule qu'en aucun pays d'Europe, traçait d'après nature un portrait tout semblable à celui qu'avait dessiné l'ami de Shakespeare. «Souvent, écrit Coryat, j'ai vraiment admiré ces orateurs improvisés; ils débitent leurs contes avec une si merveilleuse volubilité, une grâce si agréable, même quand ils parlent *ex tempore*, avec un assaisonnement si varié de rares plaisanteries et de traits piquants, qu'ils remplissent de surprise l'étranger inaccoutumé à leurs harangues.» Ils vendent des «huiles, des eaux souveraines, des ballades amoureuses imprimées, des drogues et un monde d'autres menus objets.... J'en ai vu un tenir une vipère à la main et jouer un quart d'heure de suite avec son aiguillon sans être piqué.... Il nous donna à croire que cette même vipère descendait généalogiquement de la famille du reptile qui sauta du feu sur la main de saint Paul, dans l'île de Melita, aujourd'hui appelée Malte [113].»

Sans doute la faconde, la volubilité, la conviction momentanée, la grâce, le ton insinuant, la gaieté légère, ailée, du charlatan méridional ne se retrouvaient pas aussi complets, aussi charmants dans les fêtes de la vieille Angleterre. Ces fêtes étaient joyeuses pourtant, elles étaient fort suivies, et l'on y rencontrait maint personnage rusé, railleur et amusant comme Autolycus, ce type du colporteur, coureur de fêtes paysannes, à qui Shakespeare a fait une place dans la galerie de ses immortels. Les travailleurs de la campagne allaient en foule à ces réunions essuyer des lazzi qui leur faisaient plaisir et acheter des onguents qui leur feraient du bien: on peut les y voir encore. A l'heure présente, chez nous, et en Angleterre aussi, la foule continue de s'attrouper devant les marchands de remèdes qui guérissent infailliblement les maux de dents et effacent quelques autres douleurs de moindre importance. Les certificats abondent autour de la boutique; il semble que tous les gens illustres qui soient au monde aient déjà bénéficié de la découverte; au reste s'adresse maintenant le vendeur. Il gesticule, il s'anime, se penche en avant, a le ton grave et la voix forte. Les paysans se pressent autour, la bouche béante, l'œil inquiet, incertains si l'on doit rire ou s'il faut avoir peur, et finissant par prendre confiance. Ils tirent leur bourse d'un air gauche; leur large main s'embarrasse dans leur habit neuf; ils tendent leur pièce et reçoivent la médecine, et leur œil qui brille et leur physionomie indécise disent assez que la malice et le sens pratique habituel font ici défaut, que ces âmes fort rusées, invincibles dans leur domaine propre, sont les victimes de tous, en pays inconnu. Le vendeur s'agite, et, aujourd'hui comme autrefois, triomphe de l'indécision au moyen d'interpellations directes.

En Angleterre, c'est à l'incomparable *foire de l'oie*, à Nottingham, qu'il faut de préférence aller chercher ces spectacles. Ils brillent là dans toute leur infinie variété: on y pourra constater que les charlatans d'aujourd'hui n'ont pas perdu grand'chose de leur verve héréditaire; on y reconnaîtra que le peuple anglais n'est pas toujours maussade et soucieux; car dans ce jour de folie et d'inconcevable liberté on verra en action, éclairée il est vrai d'une lumière bien différente, cette grande kermesse de Rubens qui est au Louvre.

Plus grande encore était, au moyen âge, la popularité des nomades qui venaient non pas guérir, mais simplement égayer la foule, et qui apportaient avec eux, sinon les remèdes aux maladies, du moins l'oubli des maux: c'étaient les ménestrels, les faiseurs de tours, les jongleurs et les chanteurs. Ménestrels et jongleurs, sous des noms différents, exerçaient la même profession, c'est-à-dire qu'ils psalmodiaient des romans et des chansons en s'accompagnant de leurs instruments (Ap. 19). Dans un temps où les livres étaient rares et où le théâtre proprement dit n'existait pas, la poésie et la musique voyageaient avec eux par les grands chemins; de tels hôtes étaient toujours les bienvenus. On trouvait ces nomades dans toutes les fêtes, dans tous les festins, partout où l'on devait se réjouir; on leur demandait, comme on faisait au vin ou à la bière, d'endormir les soucis et de donner la joie et l'oubli. Ils s'y prenaient de plusieurs manières; la plus recommandable consistait à chanter et à réciter, les uns en français, d'autres en anglais, les exploits des anciens héros.

Ce rôle était noble et tenu en grande révérence; les jongleurs ou ménestrels qui se présentaient au château, la tête pleine d'histoires belliqueuses ou de contes d'amour ou de prestes chansons où il n'y avait qu'à rire, étaient reçus avec la dernière faveur. A leur arrivée ils s'annonçaient du dehors par des airs gais qui s'entendaient du fond des salles; bientôt venait l'ordre de les introduire; on les alignait dans le fond du hall et l'on prêtait l'oreille (Ap. 20). Ils préludaient sur leurs instruments et bientôt commençaient à psalmodier. Comme Taillefer à la bataille d'Hastings, ils disaient les prouesses de Charlemagne et de Roland, ou bien ils parlaient d'Arthur ou des héros de la guerre de Troie, aïeux incontestés des Bretons d'Angleterre (Ap. 21). Au quatorzième siècle, tous ces anciens romans héroïques, rudes, puissants ou touchants, avaient été remaniés et rajeunis; on y avait ajouté des descriptions fleuries, des aventures compliquées, des merveilles extraordinaires; beaucoup avaient été mis en prose et, au lieu de les chanter, on les lisait [114]. Le seigneur écoutait avec complaisance, et son goût qui se blasait de plus en plus lui faisait trouver du charme aux enchevêtrements bizarres dont chaque événement était désormais enveloppé. Il vivait maintenant d'une vie plus complexe qu'autrefois; étant plus civilisé, il avait plus de besoins, et les peintures simples et tout d'une pièce de poèmes comme la chanson de Roland n'étaient plus faites pour flatter son imagination. Les héros de romans se virent imposer des tâches de plus en plus difficiles et durent triompher des enchantements les plus merveilleux. En outre, comme la main devenait moins lourde, on les peignit avec plus de raffinement, on se complut dans leurs aventures amoureuses et on leur donna, autant qu'on put, ce charme à la fois mystique et sensuel dont les images sculptées du quatorzième siècle ont gardé une marque si prononcée. L'auteur de *Sir Gawayne* met une complaisance extrême à décrire les visites que son chevalier reçoit [115], à peindre sa dame si douce, si jolie, aux mouvements souples, au gai sourire; il y emploie tout son soin, toute son âme, il trouve des mots qui semblent des caresses, et tels de ses vers brillent d'une lueur dorée comme celle de parfums qui se consument.

Ces peintures déjà fréquentes au treizième siècle sont encore plus goûtées au quatorzième; mais à la fin de ce dernier siècle elles se déplacent et du roman passent dans le conte ou dans des poèmes moitié contes, moitié romans, tels que le *Troïlus* de Chaucer. Après maintes transformations, le roman tendait en effet à s'effacer devant des genres nouveaux qui convenaient mieux au génie du temps. Cent ans plus tôt, un homme comme Chaucer eût sans doute repris à son tour les légendes d'Arthur et eût écrit pour les ménestrels quelque magnifique roman; mais il laissa des contes et des poèmes lyriques, parce qu'il comprit que le goût avait changé, qu'on était encore curieux, mais non enthousiaste des anciennes histoires, qu'on ne les suivait plus guère avec passion jusqu'au bout et qu'on en faisait l'ornement des bibliothèques [116] plus que le sujet des pensées quotidiennes. On aima mieux dès lors trouver séparément dans des ballades et dans des contes le souffle lyrique et l'esprit d'observation qui jadis étaient réunis dans les romans; ceux-ci, abandonnés aux moins experts des rimeurs de grands chemins, devinrent de si piètres copies des anciens originaux, qu'ils furent la risée des gens de goût et de bon sens.

On vit ainsi mettre en vers anglais sautillants et vides plusieurs des grandes épopées françaises raccourcies. La belle époque était passée; quand, dans la troupe de ses pèlerins, Chaucer vient à son tour conter d'un air narquois les prouesses de sire Thopas, le bon sens populaire que l'hôte représente se révolte, et le récit est brusquement interrompu. De sire Thopas cependant à beaucoup des romans qui couraient les chemins et que les chanteurs répétaient de place en place, la distance est petite, et la parodie qui nous amuse n'était presque qu'une imitation. Robert Thornton, dans la première moitié du quinzième siècle, copia sur des textes plus anciens bon nombre de ces romans; à les parcourir on est frappé de l'excellence de la plaisanterie de Chaucer et de la justesse de sa parodie. Ces poèmes se déroulent tous d'une même allure, allègres et pimpants, sans grande pensée ni grand sentiment; les strophes défilent cadencées, claires, faciles et creuses; nulle contrainte, aucun effort; on ouvre le livre, on le quitte, sans souci, sans regret, sans s'ennuyer précisément, mais sans non plus s'émouvoir beaucoup. Et si par hasard d'un roman on passe à l'autre, il semble que ce soit le même. Prenez n'importe lequel, *Sir Isumbras* par exemple; après une prière récitée pour la forme, le rimeur vante la bravoure du héros, puis une précieuse vertu qu'il avait: son amour pour les ménestrels et sa générosité à leur égard [117]. Isumbras n'a que des qualités uniques, sa femme et ses fils aussi; il est le plus vaillant de tous les chevaliers, sa femme la plus belle des femmes. Cela n'empêche pas sire Degrevant d'être aussi le plus vaillant, et sire Églamour d'Artois pareillement. Le ménestrel nous vielle des airs un peu différents, mais sur le même instrument, et le son maigre qui en sort donne un caractère de famille à toutes ses chansons (Ap. 22).

Mais le noble n'avait guère de distractions meilleures; le théâtre n'existait pas encore; de loin en loin seulement, aux grandes fêtes de l'année, le chevalier pouvait aller, avec la foule, voir sur les tréteaux Pilate et Jésus; le reste du temps il était trop heureux de recevoir chez lui des gens à la vaste mémoire qui savaient plus de vers et plus de musique qu'on n'en pouvait entendre en un jour. Alors on n'imaginait pas de réjouissances sans ménestrels; il y avait quatre cent vingt-six musiciens ou chanteurs au mariage de la princesse Marguerite, fille d'Édouard Ier [118]. Édouard III donna cent livres à ceux qui assistaient au mariage de sa fille Isabelle [119]; il en faisait figurer aussi dans ses tournois [120]. On amenait volontiers à un évêque en tournée pastorale des ménestrels pour le réjouir; c'étaient alors parfois des gens du lieu et de bien pauvres musiciens. L'évêque Swinfield dans une de ses tournées donne un penny par tête à deux ménestrels qui viennent jouer devant lui; mais dans une autre circonstance il distribue douze pence par tête [121]. On n'a plus que deux amusements à table, disait Langland dans sa grande satire: écouter les ménestrels, et quand ils se sont tus parler religion et discuter les mystères [122]. Les repas que sire Gauvain prend chez son hôte, le Chevalier Vert, sont assaisonnés de chants et de musique; le deuxième jour, le divertissement se prolonge après le souper: on entendit «pendant le souper et après, beaucoup de nobles chants, tels que chants de Noël et chansons nouvelles, au milieu de toute l'allégresse imaginable [123]». Dans le conte de l'écuyer de Chaucer, le roi Cambynskan donne «une fête si belle que dans le monde entier il n'y en eut aucune semblable», et nous voyons ce prince, «après le troisième service, assis au milieu de ses nobles, écoutant les ménestrels jouer leurs choses délicieuses, devant lui à la table [124]». Durant tous ces repas, il est vrai, le son de la vielle, la voix des chanteurs, les «choses délicieuses» des ménestrels étaient interrompus par le craquement des os que les chiens rongeaient sous les tables ou par le cri aigu de quelque faucon mal appris: car beaucoup de seigneurs pendant leurs dîners gardaient sur une perche derrière eux ces oiseaux de prédilection. Le maître, heureux de leur présence, était indulgent à leurs libertés.

Les ménestrels de Cambynskan nous sont représentés comme attachés à sa personne; ceux du roi d'Angleterre avaient de même des fonctions permanentes. Le souverain ne s'en séparait guère, et même quand il allait à l'étranger, il s'en faisait accompagner. Henri V en engage dix-huit qui devront le suivre en Guyenne et ailleurs [125]. Leur chef est appelé *roi* ou *maréchal* des ménestrels; le 2 mai 1387, Richard II délivre un passeport a Jean Caumz, (Camuz?), «rex ministrallorum nostrorum», qui part pour un voyage outre mer [126]. Le 19 janvier 1464, Édouard IV accorde une pension de dix marcs «dilecto nobis Waltero Haliday, marescallo ministrallorum nostrorum [127]». Le rôle de Thomas de Brantingham, trésorier d'Édouard III, porte de fréquentes mentions de ménestrels royaux à qui on paye une pension fixe de sept pence et demi par jour [128].

Les nobles les plus riches imitaient naturellement le roi et avaient leurs troupes à eux, troupes qui allaient jouer au dehors lorsque l'occasion se présentait. Les comptes du collège de Winchester, sous Édouard IV, montrent que ce collège eut à reconnaître les services de ménestrels appartenant au roi, au comte d'Arundell, à lord de la Ware, au duc de Gloucester, au duc de Northumberland, à l'évêque de Winchester; ces derniers reviennent souvent. Dans les mêmes comptes, au temps de Henri IV, on trouve mention des frais occasionnés par la visite de la comtesse de Westmoreland, accompagnée de sa suite; ses ménestrels en font partie et on leur donne une somme d'argent [129].

Leurs services plaisaient fort et ils étaient bien payés; car leurs poèmes remaniés, estropiés, méconnaissables, choquaient bien les gens de goût, mais non pas la masse des batailleurs enrichis qui pouvaient payer le ménestrel de passage et lui accorder de profitables faveurs. Les chanteurs nomades ne se présentaient guère à un château sans qu'on leur donnât des manteaux, des robes fourrées, de bons repas et de l'argent. Langland revient souvent sur ces largesses, ce qui prouve qu'elles étaient considérables, et il regrette qu'on ne distribue pas tout cet or aux pauvres qui vont, comme ces errants, de porte en porte et sont les «ménestrels de Dieu [130]». Mais on n'écoutait pas ses bons conseils; aussi longtemps qu'il y eut dans les châteaux le *hall* ancien, la grand'salle où se prenaient en commun tous les repas, les ménestrels y furent admis. En construisant ces salles, l'architecte tenait compte de la nécessité de leur présence, et il ménageait au-dessus de la porte d'entrée, en face du *dais*, c'est-à-dire de l'endroit où était placée la table des maîtres, une galerie dans laquelle les musiciens s'établissaient pour jouer de leurs instruments [131].

L'instrument classique du ménestrel était la vielle, sorte de violon avec archet, assez semblable au nôtre, et dont on trouvera un bon dessin dans l'album de Villard de Honecourt [132]. Il était délicat à manier et demandait beaucoup d'art: aussi, à mesure que la profession alla s'abaissant, le bon joueur de vielle devint-il plus rare; le vulgaire tambourin, dont le premier venu pouvait apprendre en peu de temps à se servir, remplaçait la vielle, et les vrais artistes se plaignaient de la musique et du goût du jour. C'est un tambourin que portait au cou le jongleur d'Ely quand il eut avec le roi d'Angleterre un dialogue si peu satisfaisant pour celui-ci:

Si vint de sà Loundres; en un prée

Encontra le roy e sa meisnée;

Entour son col porta soun tabour,

Depeynt de or e riche azour [133].

Les ménestrels jouaient encore d'autres instruments, de la harpe, du luth, de la guitare, de la cornemuse, de la rote, sorte de petite harpe, l'ancien instrument des peuples celtiques, etc. [134].

Les cadeaux, la faveur des grands rendaient fort enviable le sort des ménestrels; aussi se multipliaient-ils à l'envi et la concurrence était-elle grande. Au quinzième siècle, les ménestrels du roi, gens instruits et habiles, protestent auprès du maître contre l'audace croissante des faux ménestrels, qui les privent du plus clair de leurs revenus. «Des paysans sans culture,» dit le roi, qui adopte la querelle des siens, «et des ouvriers de divers métiers dans notre royaume d'Angleterre, se sont fait passer pour ménestrels; certains se sont mis à porter notre livrée, et nous ne la leur avions pas accordée, et ils se sont donnés pour nos propres ménestrels.» Grâce à ces pratiques coupables, ils ont extorqué beaucoup d'argent aux sujets de Sa Majesté, et quoiqu'ils n'aient aucune intelligence ni expérience de l'art, ils vont de place en place, les jours de fête, et recueillent tous les bénéfices qui devraient enrichir les vrais artistes, ceux qui se sont donnés tout entiers à leur état et qui n'exercent aucun vil métier [135].

Le roi, pour mettre ses serviteurs hors de pair, les autorise à reconstituer et consolider l'ancienne guild des ménestrels, et personne ne pourra plus désormais exercer cette profession, quel que soit son talent, s'il n'a été admis dans la guild [136]. Enfin un pouvoir inquisitorial est accordé aux membres de l'association, et ils auront le droit de faire mettre tous les faux ménestrels à l'amende [137].

On reconnaît dans ce règlement ces décisions radicales par lesquelles l'autorité souveraine croyait, au moyen âge, pouvoir arrêter tous les courants contraires à ses propres tendances et détruire tous les abus. C'est de la même façon, et sans plus de succès, qu'on abaissait par décret le prix du pain et de la journée de travail.

L'autorité avait du reste d'autres raisons de surveiller les chanteurs et les musiciens ambulants; si elle se montrait indulgente pour les bandes attachées à la personne des grands, elle craignait les rondes des autres et se préoccupait quelquefois des doctrines qu'elles allaient semant sous prétexte de chansons. Ces doctrines étaient fort libérales et poussaient même parfois à la révolte. On en vit un exemple au commencement du quinzième siècle lorsque, en pleine guerre contre les Gallois, les ménestrels de cette race furent dénoncés au roi par les communes, comme fomentateurs de troubles et causes même de la rébellion. Évidemment leurs chants politiques encourageaient les insurgés à la résistance, et le parlement, qui les confond avec les vagabonds ordinaires, sait bien qu'en les faisant arrêter sur les routes, ce n'est pas de simples coupe-bourses qu'il enverra en prison: «Item, que null westours et rymours, mynstrales ou vocabunds ne soient sustenuz en Gales, pur faire kymorthas ou quyllages sur le commune poeple, lesqueux par lour divinationes, messonges et excitations sount concause de la insurrection et rebellion q'or est en Gales.»

Réponse: «Le roy le voet [138].»

Les grands mouvements populaires étaient l'occasion de chansons satiriques contre les seigneurs, chansons que les ménestrels composaient et que la foule savait bientôt par cœur. Ce fut une chanson vulgaire, qu'on avait sans doute bien souvent répétée dans les villages, qui fournit à John Ball le texte de son grand discours de Blackheath, lors de la révolte de 1381: «Quand Adam bêchait et qu'Ève filait, qui donc était gentilhomme?» Ainsi encore, sous Henri VI, lorsque les paysans du Kent s'insurgèrent et que les marins leurs alliés prirent en mer et décapitèrent le duc de Suffolk, on en fit une chanson moqueuse, qui fut très populaire et qui est venue jusqu'à nous. De même qu'avant de le tuer on avait donné au favori du roi la comédie d'un procès, de même, dans la chanson, on nous donne la comédie de ses funérailles; nobles et prélats sont invités à y venir chanter leurs répons, et dans ce prétendu office funèbre, qui est un hymne de joie et de triomphe, le chanteur appelle les bénédictions célestes sur les meurtriers. Les communes, à la fin, sont représentées, venant à leur tour chanter, à l'intention de tous les traîtres d'Angleterre, un *Requiescant in pace* (Ap. 23).

La renommée du révolté populaire du douzième siècle, l'*outlaw* Robin Hood, va naturellement croissant. On chante ses vertus; on raconte comment cet homme pieux, qui dans ses plus grands dangers attendait la fin de la messe pour se mettre en sûreté, dépouillait courageusement les grands seigneurs et les hauts prélats, mais était miséricordieux aux pauvres [139]: ce qui était un avis indirect aux brigands d'alors d'avoir à discerner dans leurs rondes entre l'ivraie et le bon grain.

La sympathie des ménestrels pour les idées d'émancipation, qui avaient fait au quatorzième siècle de si grands progrès, ne s'affirmait pas seulement dans les chansons; on retrouvait ces idées jusque dans les romans remaniés qu'ils récitaient en présence des seigneurs, et qui sont pleins désormais de déclarations pompeuses sur l'égalité des hommes. Mais sur ce point l'auditeur ne prenait guère offense; les poètes d'un ordre plus élevé, les favoris de la haute société, le roi lui-même dans ses actes officiels s'étaient plu à proclamer des vérités libérales dont on ne s'attendait guère à voir exiger la mise en pratique, et ils y avaient accoutumé les esprits. C'est ainsi que Chaucer célèbre dans ses vers les plus éloquents la noblesse seule vraie à ses yeux, celle qui vient du cœur [140]. C'est ainsi encore que le roi Édouard Ier, en convoquant le premier véritable parlement anglais, en 1295, déclare qu'il le fait inspiré par la maxime ancienne qui veut que ce qui touche aux intérêts de tout le monde soit approuvé par tout le monde [141], et proclame un principe d'où sont sorties depuis les réformes les plus radicales de la société.

On pouvait donc bien laisser les ménestrels répéter, après le roi lui-même, des axiomes si connus et qu'il y avait si peu de chance, croyait-on, de voir appliquer. Seulement les idées, comme les graines des arbres, en tombant sur le sol, ne s'y perdent point, et le noble qui s'était endormi au murmure des vers psalmodiés par le jongleur se réveillait un jour au tumulte de la foule amassée devant Londres, au refrain du prêtre John Ball (1381); et alors il fallait tirer l'épée et faire comprendre par un massacre que le temps n'était pas venu d'appliquer ces axiomes, et qu'il n'y avait là que chansons.

Les poètes et chanteurs populaires eurent donc une influence sur le mouvement social, moins par les maximes semées dans leurs grands ouvrages que par ces petites pièces heurtées et violentes, que les moindres d'entre eux composaient et chantaient pour le peuple, dans les carrefours en temps de révolte, et dans les chaumières en temps ordinaire, en reconnaissance de l'hospitalité.

Cependant les ménestrels devaient disparaître. En premier lieu, un âge allait commencer où, les livres et l'art de les lire se répandant jusque parmi la foule, chacun y puiserait soi-même et cesserait de se les faire réciter; en second lieu, les théâtres publics allaient offrir un spectacle bien supérieur à celui des petites troupes de musiciens et de chanteurs ambulants, et leur feraient une concurrence autrement redoutable que celle des «rudes agricolæ et artifices diversorum misterorum», contre l'impertinence desquels s'indignait Édouard IV. Enfin le mépris public, qui grandissait, devait laisser les ménestrels pulluler d'abord loin des regards de la haute classe, puis se perdre dans les derniers rangs des amuseurs publics, et y disparaître.

En somme, le temps des Taillefer qui savaient se faire tuer en chantant Charlemagne fut court; le lustre qu'avaient donné à leur profession ceux des jongleurs ou trouvères du douzième et du treizième siècle qui se contentaient de réciter des poèmes s'effaça à mesure qu'ils s'associèrent plus étroitement avec les bandes sans retenue des faiseurs de tours et des ribauds de toute sorte. Ces bandes avaient toujours existé, mais les chanteurs de romans ne s'y étaient pas toujours mêlés. De tout temps on avait trouvé, dans les châteaux et dans les carrefours, des bouffons dont la grossièreté émerveillait et enchantait les spectateurs. Les détails précis que les contemporains sont unanimes à donner sur leurs jeux montrent que non seulement leurs facéties ne seraient plus tolérées chez les riches d'aujourd'hui, mais qu'il est même peu de bourgades reculées où des paysans un jour de fête les accepteraient sans dégoût. Quelque répugnante que soit cette pensée, il faut bien se dire que ces passe-temps étaient usuels, que les grands y trouvaient plaisir, que dans la troupe des mimes et des faiseurs de tours qui couraient partout où il fallait de la joie, il y en avait qui excitaient le rire par les moyens ignobles que décrit Jean de Salisbury [142]. Deux cents ans plus tard, deux clercs sacrilèges, en haine de l'archevêque d'York, se livrent dans sa cathédrale aux mêmes bouffonneries monstrueuses, et la lettre épiscopale qui rapporte ces faits avec la précision d'un procès-verbal ajoute qu'ils ont été commis *more ribaldorum* [143]. L'usage s'en était perpétué à la faveur du succès et était demeuré populaire. Langland, à la même époque, montre qu'un de ses personnages n'est pas un vrai ménestrel, non seulement parce qu'il n'est pas musicien, mais aussi parce qu'il n'est habile à aucun de ces exercices d'une si bizarre grossièreté [144].

Enfin on peut voir encore par les représentations de la danse d'Hérodiade qui se trouvent dans les vitraux ou les manuscrits [145] du moyen âge, quelles sortes de jeux, dans l'opinion des artistes, pouvaient récréer des gens à table. C'est en dansant sur les mains, et la tête en bas, que la jeune femme enlève les suffrages d'Hérode. Or, comme l'idée d'une danse pareille ne pouvait être tirée de la Bible, il faut bien croire qu'elle provenait des usages du temps. A Clermont-Ferrand, dans les vitraux de la cathédrale (XIIIe siècle), Hérodiade danse sur des couteaux qu'elle tient de chaque main, et elle a aussi la tête en bas. A Vérone, elle est représentée, sur la plus ancienne des portes de bronze de Saint-Zénon (IXe siècle), se renversant en arrière et touchant ses pieds de sa tête. Les assistants semblent remplis de surprise et d'admiration; un d'eux porte la main à sa bouche, l'autre à sa joue, par un geste involontaire d'ébahissement. Les comptes de l'échiquier royal d'Angleterre mentionnent quelquefois des sommes payées à des danseurs de passage, qui sans doute devaient faire aussi des prouesses surprenantes, car les payements sont considérables. Ainsi, la troisième année de son règne, Richard II paye à Jean Katerine, danseur de Venise, six livres treize shillings et quatre pence pour avoir joué et dansé devant lui [146].

En Orient, où l'on a quelquefois dans ses voyages la surprise de retrouver vivants des usages anciens que nous ne pouvons étudier chez nous que dans les livres, la mode des bouffons et des mimes persiste et demeure même la grande distraction de quelques princes. Le feu bey de Tunis avait pour se récréer le soir des bouffons qui l'insultaient et l'amusaient par le contraste de leurs insolences permises et de sa puissance réelle. Chez les musulmanes riches de Tunis, dont aucune presque ne sait lire, la monotonie des journées qui, durant leur vie entière, se succèdent à l'ombre des mêmes murailles, à l'abri des mêmes barreaux, est interrompue par les récits de la bouffonne, dont l'unique rôle est d'égayer le harem par des propos de la plus étrange obscénité. Les Européens du quatorzième siècle étaient capables de goûter des plaisirs tout pareils.

Il n'était donc guère surprenant qu'à la suite des moralistes l'esprit public condamnât du même coup ménestrels et histrions et les confondît avec ces vagabonds coureurs de grands chemins qui paraissaient si redoutables au parlement. A mesure qu'on avance, leur rôle s'avilit davantage. Au seizième siècle, Philippe Stubbes voit en eux la personnification de tous les vices, et il justifie en termes violents son mépris pour ces «ivrognes et ces parasites licencieux qui errent par le pays, rimant et chantant des poésies impures, viles et obscènes, dans les tavernes, les cabarets, les auberges et les lieux de réunion publique». Leur vie est pareille aux chansons honteuses dont leur tête est pleine, et ils sont le modèle de toutes les abominations. Ils sont, de plus, innombrables:

«Chaque ville, cité ou région est remplie de ces ménestrels qui accompagnent de leurs airs la danse du diable; tandis qu'il y a si peu de théologiens que c'est à peine si l'on en voit aucun.

«Cependant quelques-uns nous disent: mais, monsieur, nous avons des licences des juges de paix, pour jouer et exercer nos talents de ménestrels au mieux de nos intérêts.—Maudites soient ces licences qui permettent à un homme de gagner sa vie par la destruction de milliers de ses semblables! Mais avez-vous une licence de l'archi-juge de paix, le Christ Jésus? Si vous l'avez, soyez heureux; si vous ne l'avez pas, vous serez arrêtés par Jésus, le grand juge, comme rôdeurs misérables et vagabonds du pays céleste, et punis d'une mort éternelle, malgré vos prétendues licences reçues en ce monde.» (Ap. 24).

On voit à quel état de dégradation était tombée la noble profession des anciens chanteurs et combien peu la nécessité d'obtenir un brevet de l'autorité ou d'entrer dans une guild, comme le voulait Édouard IV, arrêtait leurs extravagances. Avec les inventions et les mœurs nouvelles, leur raison d'être disparaissait et la partie vraiment haute de leur art s'effaçait; les anciens diseurs de poèmes, après s'être mêlés aux bandes peu recommandables des amuseurs publics, voyaient ces bandes leur survivre, et il ne restait plus, sur les routes, que ces bouffons grossiers et ces musiciens vulgaires que les gens réfléchis traitaient en réprouvés.

CHAPITRE II
LES OUTLAWS ET LES OUVRIERS ERRANTS

Les forêts d'Angleterre et leurs habitants.—Comment on était mis hors la loi.—Sort des hommes et sort des femmes.—Leur existence vagabonde.

Les paysans vagabonds.—Le besoin d'émancipation.—État de la classe ouvrière.—Le paysan qui se détache illégalement de la glèbe devient tantôt ouvrier nomade, tantôt mendiant, tantôt voleur de grand chemin.

Les peines: la prison, les ceps, le fer rouge.—Les mesures préventives: les passeports à l'intérieur.—Les étudiants même obligés d'en avoir.

L'œuvre révolutionnaire.—Les assemblées secrètes.—Le rôle des errants.—La grande révolte de 1381.—Différences avec la France.

Les bouffons, les musiciens et leurs associés nous ont arrêtés dans les carrefours et dans les cours des châteaux. Avec les *outlaws*, les malheureux mis hors la loi, il nous faut quitter la grand'route pour les sentiers à peine tracés et pénétrer dans les bois. L'Angleterre à cette époque n'était pas l'immense prairie que sillonnent maintenant les chemins de fer; il y restait encore beaucoup de ces forêts dont César parle dans ses *Commentaires* et où les ancêtres des rois Plantagenets avaient si jalousement maintenu leurs droits de chasse. La police n'y était point exacte, comme aujourd'hui dans les bois qui restent; elles offraient aux bandits et aux condamnés en fuite de vastes asiles. L'esprit populaire s'était accoutumé à mêler dans un même sentiment de sympathie l'idée de la haute forêt bruissante et l'idée de la libre vie qu'y menaient les proscrits. C'est pourquoi, à côté de l'épopée d'Arthur, on trouve celle des arbres et des buissons, celle des vaillants qui habitent le taillis et qu'on imagine avoir lutté pour les libertés publiques, celle d'Hereward, de Foulke Fitz-Waurin, de Robin Hood. Sitôt poursuivi, sitôt en route pour la forêt; il était plus facile de s'y rendre, on y était moins éloigné des siens et tout aussi en sûreté que sur le continent.

Larrons, bandits, braconniers et chevaliers pouvaient ainsi se rencontrer en camarades au fond des bois. C'est à la forêt que songe l'écuyer proscrit, dans la célèbre ballade de la *Fille aux bruns cheveux*, le chef-d'œuvre de la poésie anglaise au quinzième siècle, un duo d'amour musical, tout plein du charme sauvage des grandes futaies, avec une cadence bien accentuée, des rimes fréquentes qui chantent à l'oreille: on dirait la mélodie un peu grêle mais pourtant sonore d'un vieil air touchant et aimé. Sur le point d'être pris, le pauvre écuyer doit choisir entre une mort honteuse et la retraite «dans la forêt verdoyante». Sa fiancée, qui n'est rien moins qu'une fille de baron, veut le suivre, et alors, à chaque couplet, pour l'éprouver, son amant lui représente les terreurs et les dangers de cette vie de fugitifs: elle pourra le voir pris et mourant de la mort des voleurs: «car, pour l'outlaw, telle est la loi, on le saisit, on le lie et sans merci on le pend, et son corps se balance au vent.» Avec cela une peinture, saisissante de l'existence sous bois, des ronces, de la neige, de la gelée, de la pluie; pas de nourriture délicate, pas de lit moelleux, les feuilles pour unique toit.

Bien plus, et l'épreuve devient plus dure, il faudra que la jeune fille coupe ses beaux cheveux; la vie en forêt ne permet pas de garder cet ornement. Enfin, et c'est là le comble: j'ai déjà dans la forêt une autre amie que je préfère et qui est plus belle. Mais, aussi résignée que Griselidis, la fiancée répond: j'irai quand même à la forêt, je serai bonne pour votre amie, je lui obéirai, «car dans l'humanité entière rien ne m'est cher que vous». Alors la joie de l'amant peut éclater: je ne suis pas banni, je ne m'enfuirai pas dans les bois; je ne suis pas un écuyer obscur, je suis le fils du comte de Westmoreland, et pour nous l'heure des fêtes nuptiales est venue [147].

Tous les fugitifs que la forêt recevait dans ses profondeurs n'étaient point d'amoureux chevaliers suivis de femmes patientes comme Griselidis et courageuses comme Bradamante. C'étaient, la plupart du temps, pour passer de la poésie à la réalité, des rôdeurs redoutables, ceux mêmes contre lesquels Édouard Ier et Édouard III avaient rendu la rigoureuse loi des suspects [148] mentionnée plus haut. Cette caste se composait d'abord des bandes organisées de brigands que le statut appelle Ravageurs, Gens-de-Robert, Traille-bâton, etc. (*Wastours*, *Roberdesmen Drawlatches*), puis des voleurs d'occasion, des filous et malfaiteurs de toute sorte et des outlaws divers qui étaient frappés par la loi de cette véritable mort civile à laquelle fait allusion le fiancé de la *Fille aux cheveux bruns*. La sentence d'outlawry, de mise hors la loi, était, la plupart du temps, le point de départ d'une vie errante qui devenait forcément une vie de brigandage. Pour être déclaré outlaw, il fallait avoir commis un crime ou un délit; une demande en justice de l'adversaire, d'un caractère purement civil, ne suffisait pas [149]; mais pour se trouver dans le cas de mériter la potence, il n'était pas nécessaire d'être coupable d'une faute énorme; de là le grand nombre des outlaws. Dans un procès criminel du temps d'Édouard Ier [150], le juge sur son siège explique que la loi est celle-ci: si le voleur a pris un objet qui vaut plus de douze pence ou s'il a été condamné plusieurs fois pour de petits vols et que le total vaille douze pence et au delà, il doit être pendu: «Lex vult quod pendeatur per collum.» Encore, ainsi que l'observe le juge, à propos d'une femme qui avait volé pour huit pence, la loi est plus douce que sous Henri III, puisqu'alors il suffisait d'un vol de quatre pence pour être pendu [151].

L'homme devenait outlaw, et la femme *weyve*, c'est-à-dire abandonnée à la merci de tous, et ne pouvant pas réclamer la protection des lois. Aussi l'auteur du *Fleta* exprime-t-il avec une force terrible l'état des gens ainsi châtiés: ils ont des têtes de loup que l'on peut couper impunément: «Est enim weyvium quod nullus advocat, et utlagariæ æquipollet quoad pœnam. Utlagatus et Weyviata capita gerunt lupina, quæ ab omnibus impune poterunt amputari; merito enim sine lege perire debent qui secundum legem vivere recusant [152].» L'outlaw perdait tous ses biens et tous ses droits; tous les contrats dans lesquels il était partie tombaient; il n'était plus obligé vis-à-vis de personne, et personne n'était obligé vis-à-vis de lui. Ses biens étaient forfaits: «catalla quidem utlagata erunt domini regis;» s'il avait des terres, le roi en gardait l'usufruit pendant un an et un jour, au bout desquels il les rendait au *capitalis dominus* [153]. Et même il y avait à ce sujet des maximes légales très dures: un homme accusé de meurtre et acquitté subissait cependant la confiscation, s'il avait fui d'abord, craignant le jugement. C'est encore le magistrat qui parle: «Si home seit aquité de mort de home et del assent et de eyde, sus ceo les justices demaunderont de la jure si le prison ala defuant; si eus dient qe noun, aille quites, si oyl, le roy avera ses chateuz [154].» On conçoit que la sévérité draconienne de tels règlements n'était pas faite pour diminuer l'audace de ceux qu'ils atteignaient, et que la rigueur excessive de ces peines devait transformer souvent le fugitif d'un jour, qui avait douté de la clairvoyance du juge, en brigand de profession et en voleur de grand chemin.

A côté des gens de cette espèce, il y avait tous les vagabonds qui, sans mériter une sentence d'outlawry, avaient fui le village ou la ferme auxquels ils étaient attachés. Le vilain qui abandonnait, sans licence spéciale, le domaine du maître ne rentrait dans la vie commune qu'après s'être mis à sa merci ou, ce qui était moins dur, après avoir passé un an et un jour dans une ville franche, sans la quitter et sans que le lord eût songé à interrompre la prescription. Il devenait, dans ce dernier cas, homme libre, et les liens qui l'attachaient au sol étaient rompus. Mais s'il s'était borné à errer de place en place, il pouvait toujours être repris le jour où il reparaîtrait à son foyer. On en voit un exemple dans un curieux procès du temps d'Édouard Ier, dont le relevé nous est parvenu: *A.* présente un bref (writ) d'emprisonnement contre *B.*—Heiham, avocat de *B.*, dit: Nous n'avons pas à nous défendre, *A.* est notre vilain, son bref ne peut avoir effet contre nous. On vérifie et on trouve que *A.* est le fils d'un vilain de *B.*, qu'il s'est enfui et plusieurs années après est revenu à son foyer, «en son ny», où il a été repris comme vilain. Le juge déclare que cette reprise est légale, et qu'un vilain peut errer pendant six, sept ans ou plus; si au bout de ce temps on le retrouve «en son ny demeyne e en son astre (foyer)», on peut s'en emparer comme de sa chose; le fait du retour le met en l'état où il était avant le départ. En entendant cette décision, l'avocat enchanté cite avec à-propos l'Écriture sainte: «Cecidit in foveam quam fecit [155]!»

Les paysans en fuite donnaient à la caste errante ses recrues les plus nombreuses. En Angleterre, une foule de causes, parmi lesquelles se trouve en première ligne la grande peste de 1349 [156], avaient bouleversé, au quatorzième siècle, les rapports des classes ouvrières avec les classes riches et la proportion entre la valeur des salaires et celle des objets nécessaires à la vie. En face d'un besoin d'émancipation qui se faisait jour de toute part, le parlement, la chambre des communes aussi bien que le roi, rendaient de durs arrêts qui prescrivaient le maintien du *statu quo ante pestem*. De là, chez les paysans, un immense désir de changer de place et de voir ailleurs: chez eux, les gages d'avant la peste étaient dérisoires; mais dans tel autre comté, se disaient-ils, on paye mieux; du reste pourquoi ne pas se mêler à la classe des ouvriers libres? elle était nombreuse et malgré les statuts augmentait sans cesse. Tous ne réussissaient pas à dissimuler leur passé, et quand le danger devenait grand d'être «mys en cepes» et renvoyés à leurs maîtres, ils s'enfuyaient de nouveau, changeaient de comté, et devenaient nomades. D'autres, mécontents, avec ou sans cause, ne quittaient leur hameau que pour devenir immédiatement des vagabonds sans feu ni lieu et de la plus dangereuse espèce. Aussi le palais Westminster, la salle du chapitre de l'abbaye où siégeaient les communes retentissent-ils de plaintes toujours renouvelées contre l'indiscipline croissante. Les communes, qui représentent dans les campagnes, en général, les propriétaires du sol, et dans les villes une bourgeoisie aux tendances passablement aristocratiques, s'élèvent avec force contre les goûts d'émancipation d'une classe d'ouvriers dont elles ne sont nullement solidaires. Elles veulent le rétablissement de toutes les lois, de tous les usages anciens et la répression énergique des désordres nouveaux. Mais le courant était trop fort et il renversait les lois; on les voit renouvelées sans cesse, inutilement.

En 1350, tout de suite après la peste, un premier règlement est dirigé contre la «malice des servantz [157]» qui avaient déjà une grande indépendance et la voulaient plus grande encore. Il leur fallait d'autres salaires qu'autrefois et aussi d'autres termes d'engagements, ils ne voulaient plus travailler «sanz trop outraiouses louers prendre». Jadis ils se louaient pour un an; maintenant ils désirent rester maîtres d'eux-mêmes et se louer à la journée: défense leur est faite par le statut de travailler dans ces conditions. Quatre ans après, nouvelles plaintes [158]; le blé est à bas prix et les travailleurs refusent d'en recevoir en guise de payement; ils persistent aussi à vouloir se louer à la journée: toutes ces pratiques sont condamnées de nouveau. La querelle continue et s'envenime. La trente-quatrième année de son règne, Édouard III menace les coupables de les faire marquer au front d'un F «en signe de fauxine [159]». En 1372, le parlement constate que les «laborers et servantz sey fuent d'un countée en autre, dount les uns vont as grantz villes et devignent artificers, les uns en estrange pays pur laborer, par cause des excessives lowers, nient demurantz en certein en nul lieu, par qi execution de l'estatut ne puist estre fait vers eux». Les communes du Bon Parlement de 1376 obtiennent la ratification de tous les règlements antérieurs [160]. On renouvelle les défenses à chacun de se transporter hors de son «pays propre». Le paysan doit y rester et servir quiconque a besoin de lui, non pas seulement s'il est serf ou «neif», mais encore s'il appartient à la classe des «laborers et artificers et altres servantz».

Mais les changements économiques survenus avaient rendu possible ce qui ne l'était pas autrefois; on avait besoin de travailleurs, et les propriétaires n'étaient pas rares qui donnaient de l'occupation aux ouvriers malgré les lois, même à la journée et à d'autres salaires que ceux du tarif. Les pétitions parlementaires le constatent: «Ils sont si chèrement receues en estranges lieux en service sodeynement que celle receptement donne essample et confort as touz servantz, *si tost come ils sont de riens desplu*, de coure en estranges lieux de mestre en mestre, come dit est devant.» Et cela ne se produirait pas, observaient justement les communes, si, dès qu'ils offrent leurs services de la sorte, ils étaient «prys et mys en cepes». C'était vrai; mais les propriétaires qui manquaient de bras et dont la récolte attendait sur pied, étaient trop heureux de rencontrer des «servauntz et laborers», quels qu'ils fussent, et au lieu de les faire mener «al prochein gaole», ils les payaient et leur donnaient du travail. Les ouvriers ne l'ignoraient pas, et leurs maîtres traditionnels étaient forcés de tenir compte des circonstances et de se montrer moins sévères. Car, pour une exigence trop dure ou une réprimande trop forte, au lieu de se soumettre, comme autrefois, ou même de protester, l'ouvrier ne disait rien, mais s'en allait: «Si tost come lour mestres les chalengent de mal service ou les voillent paier pur lour dite service solone la forme des ditz estatutz, ils fuont et descurront sodeynement hors de lours services et hors de lours pays propre de countée en countée, de hundred en hundred, de ville en ville, en estranges lieux desconuz à lour dites mestres [161].»

Ce qui est bien pire et devait arriver forcément, c'est que beaucoup d'entre eux, ne pouvant ou ne voulant pas travailler, se faisaient mendiants ou voleurs de profession. Ces «laborers corores devenont mendinantz beggeres, pur mesner ocious vie, et soi trient hors de lours pays, communément as citées, burghwes, et as autres bones villes pur begger; et lesquels sont fort de corps et bien purroient eser la commune si ils voudroient servir». Voilà pour les mendiants [162]; voici maintenant pour les voleurs: «Et la greyndre partie des ditz servantz corores devenent communement fortes larounes et encrecent de eux roberies et felonies de jour en altre par touz partz.» Il faut prendre des mesures énergiques: que défense soit faite de donner l'aumône à des gens de cette espèce et que «lours corps soient mys en cepes ou mesnez al prochein gaole», pour être renvoyés ensuite dans leur pays. Édouard III, en 1349 [163], avait déjà condamné à la prison les personnes qui, sous prétexte de charité, viendraient en aide aux mendiants; ces vagabonds erraient par le pays, «s'adonnant à la paresse et au vice et quelquefois commettant des vols et autres abominations». Mêmes plaintes au temps de Richard II; à peine est-il sur le trône, qu'elles se répètent d'année en année; on en trouve en 1377, en 1378, en 1379 [164].

Les règlements ont beau se multiplier, le roi est obligé de reconnaître, dans son ordonnance de 1385, que les «faitours et vagerantz» courent le pays «pluis habundantement qe ne soloient avant ces heures [165]». En 1388, il renouvelle toutes les prescriptions de ses prédécesseurs et rappelle aux maires, baillis, sénéchaux et constables, leurs devoirs, celui notamment de réparer leurs ceps et d'en tenir qui soient toujours prêts, pour y mettre les individus appartenant à la classe errante [166].

Ce n'étaient pas là de vaines menaces et il ne s'agissait pas de peines médiocres. Les prisons d'alors ne ressemblaient guère à ces édifices clairs et bien lavés qu'on voit aujourd'hui dans plusieurs villes d'Angleterre, à York, par exemple, où la moyenne des condamnés trouve certainement plus de propreté et de confort qu'ils n'en pouvaient avoir chez eux. C'étaient souvent de fétides cachots, où l'humidité des murailles et l'immobilité où vous obligeaient les ceps corrompaient le sang et engendraient de hideuses maladies. Ces instruments de torture, qui, d'après les lois de Richard II, devaient être toujours tenus en bon état et prêts à servir, consistaient en deux poutres superposées. De distance en distance, des trous ronds étaient percés à leur point de jonction; on soulevait la poutre supérieure et on faisait passer dans les trous les jambes des prisonniers; quelquefois, il y avait une troisième poutre, dans les ouvertures de laquelle les mains des malheureux étaient en outre engagées; leur corps reposait tantôt sur un escabeau, tantôt sur le sol. Dans certaines prisons, les ceps étaient assez élevés; on y introduisait seulement les jambes du patient et il demeurait ainsi, le corps étendu à terre, dans l'humidité, la tête plus bas que les pieds; mais ce raffinement n'était pas habituel [167].

Maint ouvrier errant accoutumé à une vie active, au grand air, venait ainsi, grâce aux ordonnances incessantes du roi et du parlement, se repentir dans les ténèbres de son audace et regretter, pendant des jours et des nuits tout pareils, sa liberté, sa famille, son «ny». L'effet d'un semblable traitement sur la constitution physique des victimes se devine; les procès-verbaux de justice le montrent d'ailleurs fort clairement; on lit, par exemple, ce qui suit dans les rôles *Coram rege* du temps de Henri III:

«Assises de Ludinglond.

«Le jury expose que Guillaume le Sauvage prit deux étrangers et une femme et les emprisonna à Thorelstan, et les retint en prison jusqu'à ce que l'un d'eux y mourût, et que l'autre perdît un pied, et que la femme perdît les deux pieds, *parce qu'ils avaient pourri.* Guillaume amena ultérieurement ces gens devant la cour de notre seigneur le roi à Ludinglond pour les faire juger par ladite cour. Et quand la cour les vit, elle se refusa à les juger parce qu'ils n'avaient été arrêtés pour aucun vol ou délit pour lesquels ils pussent subir un jugement. C'est pourquoi on leur permit de se retirer en liberté [168].»

Comment, dans un tel état, les pauvres gens «se retirèrent» et ce qu'ils devinrent, le procès-verbal des assises ne le dit pas. Ce qui est certain, c'est qu'aucune sorte d'indemnité ne leur fut donnée pour les aider à se tirer d'affaire dans leur horrible situation. La justice de nos pères n'était pas minutieuse.

Mais la menace de prisons si malsaines et de ceps si terribles ne retenait et n'arrêtait pas les travailleurs las d'être attachés au sol. Pour quitter leur pays, tous les prétextes leur étaient bons; ils osaient même employer celui de voyages de dévotion. Ils partaient, le bâton à la main, «par colour d'aler loyns en pillerinage,» et ne revenaient plus. Mais un nouveau frein va être employé pour dompter cette humeur turbulente, c'est l'obligation de se munir de véritables lettres de route ou passeports pour passer d'un comté à l'autre. Nul ne pourra quitter son village s'il ne porte «lettre patente contenant la cause de son aler e le temps de son retournir s'il doit retournir». En d'autres termes, même quand on avait le droit de s'établir définitivement ailleurs, il fallait un permis de circulation pour s'en aller. Ces lettres seront scellées par un «prodhomme» désigné, dans chaque cité, hundred, bourg, etc., par les juges de paix, et des sceaux particuliers seront fabriqués exprès portant, dit l'ordonnance, au milieu, les armes du roi, autour le nom du comté et en travers celui du hundred, cité ou bourg. On prévoit même le cas où des lettres fausses seraient fabriquées, ce qui montre quelle ardente envie de quitter son pays on sentait chez les gens de cette classe. Tout individu surpris sans papiers en règle est mis provisoirement en prison.

Les mendiants seront traités comme les «servants» qui n'auraient pas de «lettre testimoigniale [169]». Ce à quoi on tient, c'est à retenir en place le plus de monde possible et à empêcher par là les pérégrinations inquiétantes de tous ces rôdeurs. Quant aux mendiants incapables de travailler, ils devront, eux aussi, cesser de fréquenter les grands chemins: ils finiront leur vie dans la cité où on les trouvera au moment de la proclamation ou, tout au plus, dans quelque ville voisine ou dans celle où ils sont nés; ils y seront conduits dans les quarante jours et y resteront «continuelement pur lour vies».

Ce qui est plus étrange et qui, à défaut d'autres preuves, montrerait à quelle classe appartenaient alors les étudiants, c'est qu'ils sont compris dans la même catégorie: ils avaient coutume, en rentrant dans leur pays ou en faisant des pèlerinages ou en allant à l'université, de tendre la main aux passants et de frapper aux portes. Ils seront assimilés aux mendiants et mis aux fers s'ils n'ont pas la lettre réglementaire; seulement cette pièce leur sera remise par le chancelier, c'est la seule différence: «Et qe les clers des universitées qi vont ensy mendinantz eient lettres de tesmoigne de lour chancelier sur mesme la peyne [170].»

Enfin, l'année suivante (1389), un nouveau statut réprouve la coutume des «artificers, laborers, servantz», etc., qui entretiennent pour leur usage des lévriers et autres chiens, et, «es jours de festes, qant bones cristiens sont as esglises oiantz divine service [171],» pénètrent dans les parcs et garennes des seigneurs et détruisent tout le gibier. Bien plus, ils profitent de ces occasions où ils se trouvent réunis en armes, sans crainte d'être inquiétés, pour tenir «lour assemblées, entreparlances et conspiracies pur lever et désobeier a lour ligeance». Certainement les fourrés épais des forêts seigneuriales avaient dû plus d'une fois abriter, à l'heure des offices, des réunions de cette espèce avant la grande révolte de 1381, et dans ce milieu naquirent sans doute quelques-unes de ces idées remuantes et actives qui furent transportées de pays en pays par les nomades et firent reconnaître au peuple de comtés différents les liens de solidarité qui les unissaient entre eux.

C'est dans une révolte pareille que le rôle de la classe errante est considérable, et il y a tout intérêt pour l'historien à ne pas le négliger. Il est impossible, si on ne tient pas compte de cet élément, d'expliquer l'importance et l'étendue d'un mouvement qui faillit avoir des suites pareilles à celles de la Révolution française. «J'avais perdu mon héritage et le royaume d'Angleterre [172],» disait Richard II le soir du jour où sa présence d'esprit le sauva, et il avait raison. Pourquoi, en France, la Jacquerie fut-elle une vulgaire et impuissante émeute, comparée à la révolte anglaise? Les causes en sont multiples, mais la principale est l'absence d'une classe de nomades aussi nombreuse et forte que celle d'Angleterre. Cette classe servit à unir tout le peuple; elle dit à ceux du nord ce que pensaient ceux du midi, ce que souffraient et désiraient les uns et les autres: les souffrances et les désirs n'étaient pas identiques, mais il suffisait de savoir que tous avaient des réformes à demander. Aussi, quand on apprit que la révolte avait commencé, on se souleva de toute part, et il fut clair alors que chacun désirait un bien différent et que les troupes associées poursuivaient des buts divers; seulement, le fond de la querelle étant le même et tous voulant plus d'indépendance, ils marchaient de concert, sans se connaître autrement que par l'intermédiaire des errants. Les rois d'Angleterre s'étaient bien aperçus du danger, et à diverses reprises ils avaient promulgué des statuts visant spécialement les discours tenus par les nomades, dans leurs voyages, sur le compte des nobles, des prélats, des juges, de tous les dépositaires d'une force publique quelconque. Édouard Ier avait dit dans une de ses lois:

«Pur ceo qe plusours ount sovent trové en counté controveures, dont discorde ou manere de discord ad esté sovent entre le roi et son people, ou ascuns hautes hommes de son roialme; est défendu, pur le damage qe ad esté, et unqore en purreit avenir, que desore en avant nul ne soit si hardy de dire ne de counter nul faux novel, ou controveure, dount nul descorde ou manere de discord, ou d'esclandre, puisse surdre entre le roi et son poeple, ou les hautes hommes de son roialme; et qi le fra, soit pris et détenuz en prisone jesqes à taunt q'il eit trové en court celuy dount le poeple serra mové.»

Le danger de discours pareils qui touchent aux actes et même aux pensées des grands du royaume devient menaçant de nouveau sous Richard II, et, dans les premières années de son règne, le statut suivant est promulgué:

«Item de controvours de faux novels et countours des horribles et fauxes mensonges des prélates, ducs, countes, barons et autres nobles et grantz de roialme et auxint del chanceller, trésorer, clerk del privé seal, séneschal del hostel nostre seignur le roi, justices del un bank et de l'autre et d'autres grantz officers du roialme des choses qe par les ditz prélatz, seignurs et officers ne furent unqes parlez, touchez *ou pensez*..... par ont débatz et descordes purroient sourdre parentre les ditz seignurs ou parentre les seignurs et communes, qe Dieu ne veulle, et dont grant péril et meschief purroit avenir à tout le roialme et légèrement subversion et destruction del roialme avant dit, si due remédie n'y fuisse mys, est défenduz estroitement et sur grief peine pur eschuer les damages et périls avant ditz qe desore nul soit si hardi de controver, dire ou counter ascune fauxe novelle, mesonge ou autre tiel fauxe chose des prélats, seignurs et les autres desusditz dont descord ou esclaundre aucune puisse sourdre deinz mesme le roialme et qi le fra eit et encourge la paine autre foitz ent ordenez par estatut de Westm' primer [173].» Mais ce statut est rendu en vain; deux ans plus tard éclate la révolte des paysans.

En France, pendant et après les guerres, la route appartient uniquement à des brigands pillards qui étaient nés ouvriers ou chevaliers. Des soldats, qui représentent la lie de la plus haute et de la plus basse classe, s'acharnent au dépouillement du reste de la société; le chemin retentit du bruit des armures et le paysan se cache; les troupes équipées pour la défense du sol attaquent sans scrupule tout ce qui est moins fort qu'elles et bon à piller; quand on est de ce monde, on «se tourne français», comme dit Froissart, et on se tourne anglais selon l'intérêt du moment. Les errants que la loi anglaise menace des ceps sont d'une autre sorte et, quel que soit le nombre des brigands parmi eux, ils n'y sont pas en majorité; le reste des paysans sympathise avec eux, au lieu de les redouter. Aussi la révolte anglaise ne fut-elle pas une entreprise désespérée; elle fut conduite avec un sang-froid et un bon sens extraordinaires. Les insurgés montrent un sentiment calme de leur force, qui nous saisit et qui saisissait bien plus encore les chevaliers demeurés dans Londres; ce sont des gens qui marchent les yeux ouverts et qui, s'ils détruisent beaucoup, voudraient aussi réformer. Avec eux on peut s'entendre et traiter; on violera le traité sans doute, et la révolte finira par les supplices: mais, quoi qu'en disent les communes et les lords réunis à Westminster, les nouveaux fers n'auront pas la ténacité des anciens, et un grand pas vers une émancipation réelle aura été fait. En France, la bête de somme, mal nourrie, mal traitée, rongée du harnais, s'en va branlant la tête, l'œil terne et le pas traînant; ses ruades furieuses feront ajouter au fardeau qui l'écrase des poids nouveaux, et ce sera tout; des siècles passeront avant qu'elle obtienne autre chose.

CHAPITRE III

LES PRÊCHEURS NOMADES ET LES FRÈRES MENDIANTS

Les prêcheurs politiques.—Dans quelle classe ils se recrutent.—Quelles théories ils vulgarisent.—Les simples prêtres de Wyclif.—Rôle des prêcheurs.—Ton de leurs harangues.

Les prêcheurs religieux; Rolle de Hampole.

Les frères.—Ce qu'ils étaient au quatorzième siècle; ce qu'ils avaient été d'abord.—Sainteté de leur mission initiale.—Leur popularité en Angleterre.—Cette popularité trop grande est la cause de leur décadence.—Richesse exagérée.—Superstitions.—Ils deviennent un objet banal de satire.

Si le *sentiment* de besoins et de désirs communs se répandait surtout grâce à cette foule d'ouvriers que nous trouvons en Angleterre sans cesse errants malgré les statuts, tout ce qui était *idée* était vulgarisé par une autre sorte de nomades, les prêcheurs. Gens du peuple eux aussi, ils avaient étudié; il n'était pas nécessaire, ainsi que nous l'avons vu, d'être riche pour suivre les cours à Oxford; les vilains même y envoyaient leurs enfants, et les communes, peu libérales d'esprit, comme on sait, protestaient contre cette émancipation d'un autre genre, cet *avancement par clergie*; mais elles protestaient en vain, et le roi répondait à leur requête qu'il «s'adviseroit» (1391). C'était, et c'est encore aujourd'hui, la formule du refus royal [174]. Quel était l'état du peuple, ces clercs le savaient; ils connaissaient les misères du pauvre, c'étaient celles de leur père, de leur mère, d'eux-mêmes, et l'étude leur permettait de transformer en idées précises les aspirations vagues des travailleurs de la terre. Les premières ne sont pas moins nécessaires que les secondes à tout mouvement social important; si toutes deux sont indispensables à la formation de l'outil, ce sont les idées qui en représenteraient la lame.

Les prêcheurs nomades savaient l'affiler et ils étaient nombreux. Ceux que Wyclif envoya vulgariser ses doctrines, ses «simples prêtres», firent uniquement ce que d'autres faisaient avant eux; ils imitèrent leurs devanciers et ne se bornèrent pas plus à exposer les théories peu démocratiques de leur maître que les frères mendiants, amis de la révolution, ne s'en tenaient aux préceptes de l'Évangile. Leurs sympathies étaient avec le peuple et ils le montrèrent dans leurs discours. Wyclif contribua à augmenter le corps de ces nomades; les siens ne se distinguaient pas beaucoup des autres, et s'il rencontra facilement des clercs pour remplir le rôle qu'il voulait, c'est que beaucoup dans le royaume se trouvaient déjà préparés à une semblable mission et n'attendaient que l'occasion.

Tous, d'ailleurs, font une besogne pareille et courent le pays, attroupant les pauvres et les attirant par des harangues où ils disent ce que des malheureux peuvent aimer à entendre. On s'en aperçut bien lors de la révolte, et les ordonnances rendues alors disent clairement quelle redoutable influence était celle des prêcheurs errants. Leurs habitudes et leurs discours même y sont rapportés: ces mécontents ont l'aspect austère; ils vont «de countée en countée, de ville en ville, en certains habitz souz dissimulacion de grant saintée [175]». Ils se passent naturellement des papiers ecclésiastiques dont les prédicateurs réguliers doivent être munis; ils sont «saunz licence de seint piere le pape ou des ordinairs des lieux, ou autre auctorité suffisante». Ils ne prêchent pas seulement dans les églises, ils recherchent les endroits publics, les marchés, les carrefours où s'assemble la foule: «ne mye soulement es esglises et cimitoirs, einz es marchés, feires et autres lieux publiques où greindre congrégacion de poeple y est.» Et ce n'est pas de théologie qu'ils parlent volontiers; c'est bien la question sociale qui, au fond, les préoccupe; sur leurs lèvres le sermon religieux se fait harangue politique: «desqueles personnes,» dit toujours l'ordonnance, «prêchent auxint de diverses matiers d'esclaundre pur discord et *discencion faire entre diverses estatz du dit roialme* sibien temporelx come espiritelx, en commocion du poeple, à grand péril de tout le roialme.» On les cite à comparaître devant l'autorité ecclésiastique, les ordinaires, mais ils n'ont garde de faire soumission et refusent «d'obéire à lours somonce et mandementz». Que les shériffs et autres officiers royaux surveillent désormais avec soin ces prêcheurs errants et envoient en prison ceux qui ne seront pas en règle.

On peut se faire une idée de leurs discours en se rappelant la célèbre harangue du prêtre John Ball [176], le type de ces orateurs ambulants. Certainement, dans la phrase latine de la *Chronique d'Angleterre*, ses pensées prennent une forme trop solennelle et trop correcte, mais tout ce qu'on sait des sentiments de la multitude en confirme si bien la substance que le fond du discours n'a pu différer de celui que le chroniqueur nous a transmis. C'est un dicton populaire qui sert de texte à John Ball, et il le développe de cette façon:

«Au début, nous avons été créés tous pareils; c'est la tyrannie d'hommes pervers qui a fait naître la servitude, en dépit de la loi de Dieu; si Dieu avait voulu qu'il y eût des serfs il aurait dit, au commencement du monde, qui serait serf et qui serait seigneur.»

Ce qui le rend fort, c'est qu'il puise ses meilleures armes dans la Bible; il en appelle aux bons sentiments des hommes du peuple, à leur vertu, à leur raison; il montre que la parole divine est d'accord avec leur intérêt; ils seront «pareils au bon père de famille qui cultive son champ et détruit les mauvaises herbes..». La multitude enthousiaste lui promettait de le faire archevêque et chancelier de ce royaume où il comptait voir pour tous «liberté égale, grandeur égale, puissance égale», mais il fut pris, traîné, pendu, décapité et coupé en quartiers [177].

Cependant, politique à part, on pouvait encore trouver au quatorzième siècle des élus de Dieu qui, effrayés par les crimes du monde et l'état de péché où vivaient les hommes, quittaient leur cellule ou le toit paternel pour suivre les villages et les villes et prêcher la conversion. Il en restait, mais ils étaient rares. A l'inverse des autres, ceux-ci ne parlaient pas des affaires publiques, mais des intérêts éternels; ils n'avaient pas toujours reçu les ordres sacrés; ils se présentaient en volontaires de l'armée céleste. Tel était en Angleterre ce Richard Rolle de Hampole dont la vie fut moitié celle d'un ermite, moitié celle d'un prêcheur errant. Il n'était ni moine, ni docteur, ni prêtre; tout jeune il avait abandonné la maison de son père pour aller mener, dans la solitude, à la campagne, une vie contemplative. Là, il médite, il prie, il se mortifie; on vient en foule à sa cellule, on écoute ses exhortations; il a des extases; ses amis lui enlèvent son manteau tout déchiré, le raccommodent et le lui remettent sur les épaules sans qu'il s'en aperçoive. Pour ajouter à ses peines, le diable le tente «sous la forme», dit l'anachorète lui-même, «d'une très belle jeune femme qu'il avait vue auparavant et qui avait eu pour lui un amour immodéré». Il échappe à grand'peine à la tentation. Il abandonne sa retraite, et pendant longtemps il parcourt l'Angleterre, «changeant de lieu perpétuellement», prêchant pour ramener les hommes au bien. Il se fixe enfin à Hampole, et c'est là qu'il termine sa vie, dans la retraite, écrivant énormément et édifiant tout le voisinage par sa dévotion (1349). A peine est-il mort que son tombeau devient un but de pèlerinage; les gens pieux y apportent des offrandes; des miracles s'y accomplissent. Dans le couvent de nonnes de Hampole, qui tirait grand honneur de la proximité de la tombe, on se hâta de composer un «office de saint Richard, ermite», destiné à être chanté «quand il serait canonisé»; mais jusqu'à nos jours l'office du vieil ermite n'a pas été chanté [178].

Les prêcheurs errants qu'on rencontrait dans les villages n'étaient pas toujours des lollards envoyés par Wyclif, ni des inspirés qui, comme Rolle de Hampole, tenaient leur mission de Dieu; c'étaient souvent des membres d'une immense et puissante caste subdivisée en plusieurs ordres, celle des frères mendiants. Les deux ordres principaux étaient les Dominicains, prêcheurs ou frères noirs, et les Franciscains, mineurs ou frères gris, établis en Angleterre les uns et les autres dès le treizième siècle. Il ne faut pas que les amusantes satires de Chaucer nous ferment les yeux à ce que ces ordres pouvaient avoir de mérite et ne nous laissent voir, dans les religieux mendiants, que d'impudents et lascifs vagabonds, à la fois impies, superstitieux et rapaces. On connaît ce portrait célèbre:

«C'était le bien-aimé et le familier des franklins de tout le pays—et aussi des femmes de qualité de la ville...—Ses façons à confesse étaient pleines de douceur—et son absolution était remplie de charme.—On le trouvait coulant sur le chapitre des pénitences,—partout où il savait que la pitance serait bonne;—car les cadeaux à un ordre pauvre—sont la marque de la contrition parfaite—..... Toutes les tavernes de toutes les villes lui étaient familières—et tous les aubergistes et les gaies servantes.»

Au temps de Chaucer, beaucoup de frères étaient ainsi, mais il y avait des exceptions. Je ne parle pas seulement de ceux, bien rares au quatorzième siècle, qui continuaient les traditions de leur ordre, vivant parmi les pauvres, pauvres comme eux, et, de plus, expérimentés, dévoués, compatissants: celui de Chaucer, au contraire, craignait de fréquenter «un lépreux ou un mendiant» et d'avoir affaire «avec telle canaille». Mais même parmi ceux qui vivaient en dehors de la règle, il y en avait dont les pensées, quelque dangereuses qu'elles fussent, étaient moins basses. Je parle des frères qu'on pouvait confondre avec les simples prêtres de leur ennemi Wyclif et qui étaient sûrement compris avec eux dans le statut de 1382. Il est certain que beaucoup de frères, dans leur carrière nomade, prêchèrent, comme le prêtre John Ball, dans les carrefours et les marchés, les doctrines nouvelles d'émancipation. Aussi, seuls de tout le clergé, ils gardent, au moment de la révolte, une certaine popularité; et les chroniqueurs monastiques, leurs ennemis naturels, étalent complaisamment dans leurs récits ce nouveau grief contre les ordres détestés [179]. Langland, qui maudit la révolte, maudit aussi les frères pour y avoir pris part. C'est Envie qui leur a dit à l'oreille: étudie la logique, le droit et les rêves creux des philosophes, et va de village en village prouver que tous les biens doivent être en commun:

..... and prouen hit by Seneca
That alle thyng vnder heuene ouhte to beo in comune [180].

Toujours armé de bon sens, Langland déclare net qu'il en a menti, l'auteur de ces théories subversives: «Non concupisces rem proximi tui,» dit la Bible. Jadis la vie des frères fut exemplaire; Charité habitait parmi eux: c'était au temps de saint François [181].

Et en effet, quelle sainte mission leur avait donnée leur fondateur! Grossièrement vêtus, nu-pieds et mal nourris, ils devaient aller dans les villes chercher, au fond des faubourgs, les abandonnés. Toutes les misères, toutes les laideurs hideuses de l'être humain devaient appeler leur sympathie, et le bas peuple, en revanche, allait les aimer et les vénérer comme des saints. Eccleston [182] raconte qu'un frère mineur mit une fois, sans permission, ses sandales pour aller à matines. Il rêva ensuite qu'il était arrêté par des voleurs qui criaient: «A mort! à mort!—Mais je suis un frère mineur,» disait-il, sûr d'être respecté.—«Tu mens, car tu n'es pas nu-pieds!» Le premier de leurs devoirs était de demeurer pauvres afin de pouvoir tenir sans crainte, n'ayant rien à perdre, un ferme langage aux riches et aux puissants du monde. C'est ce que leur rappelait à son lit de mort, en 1253, le savant et courageux Robert Grosseteste, évêque de Lincoln, et il leur citait avec à-propos ce vers de Juvénal:

Cantabit vacuus coram latrone viator.

Les frères devaient être comme le voyageur sans argent, dont la sérénité d'esprit n'est jamais troublée par la rencontre des voleurs [183].

Saint François n'aurait pas voulu que ses religieux fussent lettrés; on le lui a injustement reproché. Il proscrivait avec sagesse ces subtiles recherches théologiques et métaphysiques qui absorbaient sans utilité la vie des grands clercs. Assez d'autres s'y livreraient toujours; ce qu'il voulait, lui, c'était envoyer par le monde un peuple de missionnaires qui se dévoueraient matériellement, physiquement, au bien des corps et des âmes de tous les délaissés. Ainsi compris, le désintéressement était bien plus absolu, la servitude plus volontaire et l'effet sur les masses plus grand. Pour elles, la subtilité des docteurs n'était pas nécessaire, et l'exemple frappant de la misère du consolateur inattentif à sa propre peine était la meilleure des consolations. Avant tout, il fallait tuer l'orgueil de l'apôtre, et que la grandeur de ses mérites ne fût apparente qu'à Dieu seul. Quand le cœur s'est épuré à ce point, il sait suffisamment ce qu'est la vie et ce qu'est le bien pour être éloquent; l'étude des *Sommes* les plus en réputation devenait inutile. Mais trop de dangers entouraient cette fondation sublime, et le premier était précisément la science: «Charles l'empereur, disait le saint, Roland et Olivier et tous les paladins et tous les hommes forts dans les batailles ont poursuivi à mort les infidèles et à grand'peine et grand labeur ont remporté leurs mémorables victoires. Les saints martyrs sont morts en luttant pour la foi du Christ. Mais il y a, de nos jours, des gens qui, par le simple récit des exploits des héros, cherchent gloire et honneur parmi les hommes. Ainsi en est-il parmi vous qui se plaisent davantage à écrire et à prêcher sur les mérites des saints qu'à imiter leurs travaux.»

Saint François fit cette réponse à un novice qui voulait avoir un psautier; il ajoutait d'un esprit assez mordant: «Quand tu auras un psautier, tu voudras avoir un bréviaire, et quand tu auras un bréviaire, tu t'assoiras dans une chaise, comme un grand prélat, et tu diras à ton frère: Frère, apporte-moi mon bréviaire [184]!»

La popularité des frères fut immense et il se trouva bientôt qu'ils avaient accaparé l'Angleterre [185]; ils étaient tout dans la religion [186]. Par une contradiction singulière, leur pauvreté leur avait attiré les richesses, et leur abnégation la puissance; les masures où ils logeaient d'abord étaient devenues de somptueux monastères avec des chapelles grandes comme des cathédrales; les riches s'y faisaient ensevelir dans des tombeaux ciselés avec les derniers raffinements du gothique fleuri. Leurs apologistes du quinzième siècle racontent avec admiration que, dans leur belle bibliothèque de Londres, il y avait une tombe ornée de quatre archanges [187]; que leur église, commencée en 1306, avait trois cents pieds de long, quatre-vingt-quinze de large et soixante-quatre de haut, que toutes les colonnes étaient de marbre et tout le pavé aussi. Les rois et les princes avaient enrichi cet édifice; les uns avaient donné les autels, d'autres les stalles; Édouard III répare, «pour le repos de l'âme de la très illustre reine Isabelle enterrée dans le chœur [188],» la grande verrière du milieu abattue par le vent; Gilbert de Clare, comte de Gloucester, donne vingt troncs d'arbres de sa forêt de Tunbridge. Les riches marchands, le maire, les aldermen suivent l'exemple. On inscrit sur les vitraux les noms des donateurs, et Langland de s'indigner et de rappeler le précepte évangélique: que ta main gauche ignore ce que fait ta main droite. Nous n'en apprenons pas moins que le troisième vitrail de l'ouest avait été donné par Gautier Mordon, marchand de morue salée, *stokefyschmonger*, et maire de Londres. La deuxième fenêtre du sud est due à Jean de Charlton, chevalier, et à sa femme; leurs armes y figurent; la quatrième à Gautier de Gorst, marchand pelletier de Londres; la quinzième au comte de Lancastre; la quatrième à l'ouest provient «du produit de diverses collectes, et c'est ainsi qu'elle ne porte pas de nom». Un des donateurs est qualifié de père et ami tout spécial des frères mineurs. On pense quel triomphe ce devait être pour les wyclifistes de reprocher aux frères toutes ces splendeurs mondaines; Wyclif y revient sans cesse:

«Les frères construisent beaucoup de grandes églises et de vastes et coûteux monastères et des cloîtres comme des châteaux, et cela sans nécessité.... Les grands monastères ne font pas les hommes saints, et c'est par la sainteté seulement qu'on peut servir Dieu [189].

On dresse aussi d'interminables listes des cardinaux, des évêques et des rois qui ont appartenu à l'ordre, sans oublier même «personæ quædam valentes in sæculo», ce qui est d'une vanité bien mondaine. Enfin ils signalent les morts qui, à l'instant suprême, ont revêtu l'habit des frères: «Frère sire Roger Bourne, chevalier, enterré à Norwich en costume de frère, 1334 [190].»

L'orgueil et la richesse des Dominicains sont tout aussi grands. L'auteur de *Peres the Ploughman's crede*, vers la fin du quatorzième siècle, décrit minutieusement mais sans exagération un de leurs couvents, les splendides colonnes qu'on y voit, les sculptures, peintures et dorures qui parent la chapelle, les magnifiques verrières ornées du blason des nobles ou du chiffre des marchands qui les ont données, les tombes imposantes de chevaliers et de belles dames étendues en brillante parure rehaussée d'or.

On voit que les proportions sont renversées; autant le saint avait exigé de modestie, autant on va trouver d'orgueil; les défauts que leur reproche Chaucer se glissent parmi eux; ils deviennent intéressés, avides, rapaces; la mendicité est pour eux un métier que les uns pratiquent bien et les autres mieux; on leur demandait des miracles d'abnégation, et voilà au contraire en eux des prodiges d'égoïsme. Ce n'est plus la religion, c'est leur ordre qu'il faut protéger; nous avons vu que plusieurs se mêlent des questions sociales; les autres ne prêchent plus en faveur du Christ, ils prêchent en leur faveur; le revirement est complet; tous puisent à pleines mains dans le trésor de bonnes œuvres amassé par leurs premiers apôtres et le dépensent follement. Le respect de la multitude diminue; leur renom de sainteté s'affaiblit; ils jettent dans l'autre plateau de la balance tant de fautes et de désordres qu'il devient prépondérant. Et que reste-t-il désormais? La superstition remplace les pratiques saintes; ils ont appris la métaphysique, et c'est cependant un matérialisme grossier qui vient masquer l'idéal surhumain de François d'Assise; l'attouchement de leur habit vaut une bonne action; on s'en revêt à son lit de mort et les démons prennent la fuite; c'est une cuirasse sans défaut; des visions sans nombre qu'ils ont eues leur ont révélé tous ces articles d'une foi nouvelle.

La sainteté de l'institution et l'indignité d'un grand nombre de représentants font qu'on les vénère et qu'on les déteste à la fois; si méprisable que soit l'homme, on n'est pas assuré qu'il n'ait pas les clefs du ciel, et dans le sentiment qu'on a pour lui se mêlent le respect et la crainte. Aussi les poètes rient des frères, les conteurs populaires les bafouent, et les miniaturistes chargés d'enluminer un imposant volume de décrétales ne craignent pas de les représenter oubliant dans la cuisine du château leur goupillon et leur seau d'eau bénite; le frère reprend son goupillon et va asperger les maîtres à table, puis retourne près de la cuisinière [191]. Le peuple cependant voit dans les frères ses protecteurs et ses alliés en cas de révolte, et à d'autres moments les poursuit dans les rues à coups de pierres. Irrité du «port orgueilleux» des frères prêcheurs, il leur donne la chasse, les maltraite et demande leur extermination. Il n'agit pas mieux envers les mineurs, il arrache leurs habits et saccage leurs maisons, «à l'instigation de l'esprit malin,» et cela en divers lieux dans le royaume; il faut, en 1385, une proclamation du roi pour les protéger [192].

Les communes s'indignent du nombre d'étrangers qu'on trouve parmi les frères et qui sont un danger permanent pour l'État. Elles demandent «qe touz les frères aliens, de quele habite qu'ils soient, voident le roialme avant la feste de seinte Michel, et s'ils demoergent outre la dite feste, soient tenuz hors de la commune ley [193]».

Les frères gardent leur assurance; on les bénissait au temps de leurs bonnes actions; as follows maintenant ils parlent beaucoup et se font craindre; ils parlent haut, c'est du pape seul qu'ils relèvent; ils peuvent aller sans courber la tête; leur puissance est indépendante; ils sont devenus une Église dans l'Église. A côté du curé qui prêche et confesse dans sa paroisse, on trouve le frère errant qui prêche et confesse partout; sa présence universelle est une source de conflits; le curé se voit abandonné; le religieux nomade apporte l'inconnu, l'extraordinaire, et c'est à lui que tout le monde court. Il dépose sa besace et son bâton et commence à discourir: son langage est celui du peuple; la paroisse entière est présente; il s'occupe des biens éternels et aussi des biens de la terre, car la vie laïque lui est familière et il peut donner des conseils appropriés. Mais ses doctrines sont parfois suspectes: «Ces faux prophètes, dit, non pas Wyclif, mais le concile de Saltzbourg (1386), par leurs sermons pleins de fables séduisent souvent l'âme de leurs auditeurs; ils se jouent de l'autorité des curés.» Quelle puissance pouvait résister? la marée montait et renversait les digues; l'excellent devenait le pire, *corruptio optimi pessima*, et le vieil adage se trouvait vérifié à la lettre. Toutes les classes de la société ont des griefs contre eux, les seigneurs, les évêques, les moines, les réformés de Wyclif et les gens du peuple; eux cependant gardent leur place; on les retrouve partout à la fois, dans la cabane et dans le château, quêtant chez le riche et frappant aussi à la porte du pauvre; ils s'asseyent à la table du seigneur, qui les traite avec considération; chez lui, ils jouent le rôle de religieux à la mode; ils intéressent, ils plaisent. Wyclif les montre qui aiment à parler «devant les lords et à s'asseoir à leur table... à être aussi les confesseurs des lords et des ladies». Ils font songer aux abbés de cour d'une époque moins reculée. D'un autre côté, on les voit exercer dans les villages où ils font leurs tournées les métiers les plus divers, ils ajoutent à leur besace de quêteurs des provisions de fil, d'aiguilles, d'onguents, dont ils font commerce: on les chansonne, ils continuent et tout le monde rit:

«Ils vagabondent d'ici de là—et vendent toute sorte de mercerie,—comme s'ils étaient de vrais colporteurs;—ils vendent des bourses, des épingles et des couteaux—et aussi des ceintures, des gants pour les filles et pour les femmes.»

L'auteur de cette pièce, un contemporain de Chaucer, ajoute: «J'ai été un frère moi-même, pas mal de temps;—je sais donc bien la vérité.—Mais quand je vis que leur existence—ne ressemblait en rien à leurs discours,—je laissai là mon habit de frère.»

Entre le scepticisme du siècle et la crédulité aveugle, la superstition fleurit. Les frères ont imaginé de vendre au détail les mérites de leur congrégation. Elle est si nombreuse et prie si dévotement qu'elle a un surplus d'oraisons et croit bien faire d'en distribuer le bénéfice. Les frères parcourent les villages, escomptant cette richesse invisible et vendant aux âmes pieuses, sous le nom de *lettres de fraternité*, des bons sur le ciel. A quoi servent ces parchemins? demandait-on aux frères.—Ils donnent une part dans les mérites de tout l'ordre de saint François.—A quoi sont-ils bons? demandait-on à Wyclif.—«Beaucoup de gens pensent qu'on en peut bien couvrir les pots à moutarde [194].»

Si déconsidérés qu'ils soient à la fin du siècle, les frères n'ont pas cependant perdu toute action sur le peuple. Henri IV, de la maison de Lancastre, usurpe le trône et il trouve bientôt qu'il doit compter avec les frères mineurs. Bon nombre d'entre eux se sont indignés de son entreprise, et prêchent dans le pays, pendant les premières années du règne, que Richard II vit encore et qu'il est le véritable roi. Henri IV les fait emprisonner; l'un d'eux amené en sa présence lui reproche violemment la déposition de Richard: «Mais je n'ai pas usurpé la couronne, j'ai été élu,» dit le roi.—«L'élection est nulle si le roi légitime est vivant; s'il est mort, il est mort par toi; s'il est mort par toi, tu ne peux avoir aucun titre au trône!»—«Par ma tête, cria le prince, je ferai trancher la tienne!»

On conseilla aux accusés de s'en remettre à la clémence du loi; ils refusèrent et demandèrent à être jugés régulièrement par un jury. On ne put trouver ni dans la cité, ni dans Holborn, personne qui consentît à siéger comme juré; on dut aller chercher pour cet office des habitants de Highgate et d'Islington. Ceux-ci déclarèrent les frères coupables; ces malheureux furent traînés à Tyburn, pendus, puis décapités, et leurs têtes furent placées sur le pont de Londres (1402). Le couvent reçut la permission de recueillir les restes des suppliciés et de les enterrer en lieu saint. Les jurés d'Islington et de Highgate vinrent en pleurant chez les Franciscains implorer leur pardon pour un verdict dont ils se repentaient. Pendant plusieurs années, malgré ces supplices, des frères continuèrent à prêcher en province en faveur de Richard II et à soutenir qu'il vivait encore, bien que Henri IV ait eu soin de faire faire dans Londres une exhibition publique du cadavre de ce prince [195].

Au quinzième siècle cependant, la réputation des frères ne fit qu'empirer. Les abus dont ils sont la vivante personnification comptent parmi les plus graves de ceux qui vont donner tant d'adhérents à Luther. S'il reste dans leurs rangs des gens qui savent mourir, comme cet infortuné frère Forest qui fut suspendu vivant par des chaînes au-dessus d'un feu de bois et rôti lentement pendant que l'évêque réformé Latimer lui adressait «de pieuses exhortations [196]» pour le forcer à se repentir (1538), la masse des représentants de leur ordre demeure l'objet du mépris universel. C'est un des rares points sur lesquels il arrive, par accident, aux catholiques et aux protestants de tomber d'accord. Sir Thomas More, décapité pour la foi catholique, avait parlé des frères sur le même ton que son adversaire Tyndal, étranglé pour la foi protestante. Ils ne sont à ses yeux que de dangereux vagabonds. Il raconte, dans son *Utopie*, la dispute d'un frère et d'un bouffon sur la question du paupérisme. «Jamais, dit le frère, vous ne vous débarrasserez des mendiants, à moins que vous ne fassiez encore quelque édit sur nous autres frères.—Eh bien! dit le bouffon, c'est déjà fait; le cardinal a rendu un très bon arrêt à votre sujet quand il a décrété que tous les vagabonds seraient saisis et contraints à travailler: car vous êtes les plus francs vagabonds qui soient au monde.» (Ap. 25.) La plaisanterie n'est pas légère; Sir Thomas More, malgré sa réputation d'esprit, ne sut pas souvent mieux faire. Le point à noter est cette renommée qui devient de plus en plus mauvaise, grâce aux tournées intéressées, renouvelées sans cesse dans les fermes et les villages, non plus pour secourir les pauvres gens, mais pour leur demander au contraire une part de ce qu'ils ont; il faut noter encore cette assimilation qui se fait dans l'esprit du chancelier entre le frère mendiant et le vagabond vulgaire sans feu ni lieu.

CHAPITRE IV
LES PARDONNEURS

Les indulgences.—Portrait du pardonneur par un poète.—Portrait par un pape.—Les faux et les vrais pardonneurs.—Les associations illicites.

Le trafic du mérite des saints.—Les reliques.—Impuissance de la cour papale à réformer ces abus.—L'âme du pardonneur.—Par quels moyens il en impose à la foule.—Le merveilleux et les croyances populaires.

Indulgence, au début, signifiait simplement commutation de peine. Les pénitences infligées pour les péchés commis étaient longues: il fallait jeûner et se mortifier pendant des mois et des années. On permit aux fidèles de transformer ces interminables châtiments en des expiations plus courtes. Ainsi un clerc pouvait échanger un an de pénitence contre trois mille coups de fouet, avec récitation d'un psaume à chaque centaine [197]. Les laïques, qui en avaient le choix, préféraient fréquemment un payement en argent, et ces sommes étaient en général bien employées. Nous les avons vues servir à l'entretien des ponts et des routes; on les utilisait aussi en reconstruisant les églises, en secourant les malades d'un hôpital et en subvenant aux frais d'une foule d'entreprises d'intérêt public. La totalité des peines était remise par une indulgence plénière; ainsi Urbain II, au concile de Clermont, en accorda une à tous ceux qui, par dévotion pure et non pour conquérir du butin ou de la gloire, iraient à Jérusalem combattre les infidèles. Plus tard, on les distribua avec moins de réserve, et les pardonneurs se chargèrent de les colporter au loin.

Le nom de ces êtres bizarres, dont le caractère est propre au moyen âge à un plus haut degré encore que celui des frères, ne rappelle-t-il pas le rire pétillant de Chaucer, et son amusante peinture ne revient-elle pas à la mémoire? Son pardonneur se décrit lui-même:

«Mes maîtres, dit-il, quand je prêche dans les églises,—je m'efforce de faire des phrases majestueuses,—et je les lance à toute volée, sonores comme un carillon,—car je sais par cœur tout ce que j'ai à dire;—mon thème est toujours et a toujours été:—la racine de tous les maux, c'est l'avarice...»

En chaire, il se penche à droite, à gauche, il gesticule, il bavarde; ses bras remuent autant que sa langue; c'est merveille de le voir, merveille de l'ouïr.

On ne s'est guère occupé de savoir si le type de personnages ainsi faits n'était pas quelque peu imaginaire et si l'exercice de leur métier était autorisé par l'Église et soumis à des règlements. La recherche des textes de cette espèce montrera une fois de plus la merveilleuse exactitude des peintures de

Chaucer; si malicieuses, si piquantes qu'elles soient lorsqu'il s'agit du pardonneur, elles ne renferment pas un trait qu'on ne puisse justifier par des lettres émanées d'une chancellerie papale ou épiscopale [198]. Ces *quæstores* ou *quæstiarii* étaient, et c'est Boniface IX qui parle dans le temps même où le poète écrivait ses contes, tantôt des clercs séculiers et tantôt des frères, mais d'une impudence extrême. Ils se passaient de licence ecclésiastique et s'en allaient de bourgade en bourgade, eux aussi, en véritables colporteurs, montrant leurs reliques et vendant leurs pardons. C'était un métier lucratif et la concurrence était grande; le succès des pardonneurs autorisés avait fait sortir de l'école ou du prieuré une foule de pardonneurs intéressés, avides, aux yeux brillants, comme dans les *Canterbury tales* [199], véritables vagabonds, coureurs de grands chemins, qui, n'ayant rien à ménager, faisaient hardiment leur métier d'imposteurs. Ils en imposaient, parlaient fort et déliaient sans scrupule sur la terre tout ce qui pouvait être lié dans le ciel. Cela n'allait pas sans de grands bénéfices; le pardonneur de Chaucer gagne cent marcs par an, et c'est naturel, puisque, n'ayant demandé d'autorisation à personne, il ne rendait de comptes à personne et gardait tous les gains pour lui. Dans son langage mesuré, le pape nous en apprend aussi long que le poète, et il semble qu'il veuille recommencer, trait pour trait, la peinture du vieux conteur. D'abord, nous dit la lettre pontificale, ces pardonneurs jurent qu'ils sont envoyés par la cour de Rome:

«Certains religieux, qui appartiennent même aux divers ordres mendiants, et quelques clercs séculiers, parfois avancés en grade, affirment qu'ils sont envoyés par nous ou par les légats ou les nonces du siège apostolique, et qu'ils ont reçu mission de traiter certaines affaires... de recevoir de l'argent pour nous et l'Église romaine, et courent le pays sous ces prétextes.» C'est de Rome en effet que vient le personnage de Chaucer, et c'est contre l'avarice qu'il parle toujours:

«... Un gentil pardonneur—...venu tout droit de la cour de Rome...—son sac devant lui, sur ses genoux,—plein jusqu'au bord de pardons apportés de Rome tout chauds.—...Quoi donc! pendant que je peux discourir—et gagner quelque argent pour mes sermons,—j'irais de plein gré vivre de misère?—... Je prêche et mendie ainsi de pays en pays;—je ne veux pas travailler de mes mains...—Je ne veux pas singer les apôtres;—il me faut à moi de l'argent, de la laine, du fromage, du grain...»

«C'est ainsi, continue le pape, qu'ils proclament, devant le peuple fidèle qui n'est pas sur ses gardes, les autorisations réelles ou imaginaires qu'ils ont reçues; et, abusant irrévérencieusement de celles qui sont réelles, en vue d'un gain infâme et odieux, comblent impudemment la mesure en s'attribuant des autorisations de cette espèce fausses et imaginaires.»

Que nous dit le poète? Que le charlatan a toujours de belles choses à montrer, qu'il sait éblouir les simples, qu'il a des parchemins plein son sac avec des sceaux respectables, vrais ou faux sans doute; que le peuple regarde et admire, que le curé enrage et se tait:

«Je déclare d'abord d'où je viens,—puis j'exhibe toutes mes bulles, l'une après l'autre.—Le sceau de noire seigneur le pape, sur ma patente,—je montre d'abord pour sauvegarder ma personne,—que nul homme, prêtre ou clerc, n'ait la hardiesse—de me troubler dans ma sainte mission chrétienne;—alors je raconte mes histoires...—Je dis aussi quelques mots latins—pour donner de la saveur à mon prêche—et pour éveiller la ferveur.»

Et ce «turpem et infamem quæstum» dont le pontife fait mention n'est pas oublié:

«Maintenant, mes amis, que Dieu pardonne vos fautes—et vous garde du péché d'avarice;—mes saintes indulgences vont vous purifier tous,—si vous faites offrande de nobles ou d'esterlings—ou bien de cuillers d'argent, de broches, ou d'anneaux.—Courbez la tête sous cette bulle sacrée.»

La lettre apostolique reprend: «Pour n'importe quelle petite somme d'argent insignifiante, ils étendent, non pour les pénitents, mais pour ceux d'une conscience endurcie qui persistent dans leur iniquité, le voile d'une absolution menteuse, remettant, pour parler comme eux, des délits horribles, sans qu'il y ait eu contrition, ni accomplissement d'aucune des formes prescrites.» C'est aussi ce qu'avoue le pardonneur de Chaucer:

«Je vous absous de ma pleine autorité,—si vous faites offrande, et je vous rends blancs et purs comme à votre naissance.—C'est notre hôte, je pense, qui va commencer,—car il est plus que tous enfoncé dans le crime.—Avance, sire hôte, et fais le premier ton offrande,—et tu baiseras toutes les reliques,—oui, et pour un groat; allons, déboucle ta bourse.»

On conçoit que ces pardonneurs de circonstance avaient peu de scrupules et savaient profiter de ceux des autres. Ils relevaient leurs clients de tous les vœux possibles, remettaient toutes les peines, pour de l'argent. Plus il y avait d'interdictions, d'empêchements, de pénitences imposées, plus leurs affaires prospéraient: ils passaient leur vie à défaire ce que le véritable clergé faisait, et cela sans profit pour personne que pour eux-mêmes. C'est encore le pape qui nous le dit: «Moyennant une faible compensation, ils vous relèvent des vœux de chasteté, d'abstinence, de pèlerinage outre-mer, à Saint-Pierre et Saint-Paul de Rome ou à Saint-Jacques de Compostelle et autres vœux quelconques». Ils permettent aux hérétiques de rentrer dans le sein de l'Église, aux enfants illégitimes de recevoir les ordres sacrés; ils lèvent les excommunications, les interdits; bref, comme leur puissance vient d'eux seuls, rien ne les force à la restreindre et ils se la donnent complète et sans limites; ils ne reconnaissent pas de supérieurs et remettent ainsi les peines petites et grandes. Enfin ils affirment que «c'est au nom de la chambre apostolique qu'ils perçoivent tout cet argent, et cependant on ne les voit jamais en rendre aucun compte à personne: Horret et merito indignatur animus talia reminisci». (Ap. 26.)

Ils allaient encore plus loin: ils avaient formé de véritables associations pour exploiter régulièrement la confiance populaire; aussi Boniface IX ordonne-t-il que les évêques fassent une enquête sur tout ce qui regarde ces «religieux ou clercs séculiers, leurs gens, leurs complices et leurs associations,» qu'ils les emprisonnent «sans autre forme de procès, de plano ac sine strepitu et figura judicii», leur fassent rendre compte, confisquent leurs recettes et, si leurs papiers ne sont pas en règle, les tiennent sous bonne garde et en réfèrent au souverain pontife.

Il y avait en effet des pardonneurs autorisés qui versaient le produit de leurs recettes dans le trésor de la cour romaine. Le savant Richard d'Angerville ou de Bury, évêque de Durham, dans une circulaire du 8 décembre 1340, parle de *lettres apostoliques* ou *diocésaines* [200] soumises à un visa rigoureux, dont les pardonneurs réguliers étaient munis. Mais beaucoup s'en passaient, et l'évêque relève un à un les mêmes abus que le pape: «Des plaintes très vives sont venues à nos oreilles de ce que des quêteurs de cette sorte, non sans une grande et téméraire audace, de leur propre autorité, au grand péril des âmes qui nous sont confiées, et se jouant ouvertement de notre pouvoir, distribuent au peuple des indulgences, dispensent de l'exécution des vœux, absolvent les parjures, les homicides, les usuriers et autres pécheurs qui se confessent à eux, et moyennant un peu d'argent accordent des remises pour des crimes mal effacés et se livrent à une foule d'autres pratiques abusives.» Que désormais tous curés et vicaires refusent d'admettre ces pardonneurs à prêcher ou à donner des indulgences (ad prædicandum aut indulgentias aliquas insinuandum clero aut populo) dans les églises et n'importe où ailleurs, s'ils ne sont pourvus de lettres ou d'une licence spéciale de l'évêque lui-même. C'est que, avec ces bulles venues de si loin, garnies de sceaux inconnus «of popes and of cardynales, of patriarkes and of bisshops [201],» il était trop facile de faire croire qu'on était en règle. En attendant, qu'on dépouille tous ceux qui errent actuellement par le pays et qu'on se saisisse de «d'argent et *autres objets quelconques* recueillis par eux *ou pour leur compte.*» Les gens du peuple n'ayant pas toujours des pièces de monnaie, le pardonneur de Chaucer se contentait en effet de «cuillers d'argent, de broches ou d'anneaux»; de plus nous trouvons ici une nouvelle allusion à ces associations de pardonneurs qui devaient être si malfaisantes. Ils employaient des agents inférieurs; la crédulité générale et l'envie très répandue de se débarrasser d'entraves religieuses qu'on s'était imposées soi-même ou qu'on s'était vu imposer en raison de ses péchés étaient pour la bande perverse comme une mine dont elle exploitait soigneusement les filons. Au moyen de ces représentants en sous-ordre de leur puissance imaginaire, ils étendaient aisément le champ de leurs expériences et les fils compliqués de leurs toiles traversaient tout le royaume, tantôt trop forts pour être brisés et tantôt trop subtils pour être aperçus.

Parfois du reste le mauvais exemple venait de très haut; tous n'avaient pas la vertu de l'évêque de Durham. Walsingham rapporte avec indignation la conduite d'un cardinal qui faisait séjour en Angleterre pour négocier un mariage entre Richard II et la sœur de l'empereur. Pour de l'argent, ce prélat, comme les pardonneurs, levait les excommunications, dispensait du pèlerinage à Saint-Pierre, à Saint-Jacques ou à Jérusalem, et se faisait donner, après estimation, la somme qu'on aurait dépensée si on avait fait le voyage [202]: et il est bien regrettable, à tous les points de vue, que le curieux tarif des dépenses de voyage ainsi estimées ne nous soit point parvenu.

En même temps qu'ils vendaient des indulgences, les pardonneurs montraient des reliques. Ils étaient allés en pèlerinage et en avaient rapporté des petits os et des fragments de toute espèce, d'origine sainte, disaient-ils. Mais s'il y avait des crédules dans la foule, parmi la classe instruite, les désabusés ne manquaient pas, qui bafouaient sans pitié l'impertinence des imposteurs. Les pardonneurs de Chaucer et de Boccace, et au seizième siècle d'Heywood et de Lyndsay [203], ont les reliques les plus plaisantes. Celui de Chaucer, qui possédait un morceau de la voile du bateau de saint Pierre, aurait été battu par Frate Cipolla, qui avait recueilli à Jérusalem des reliques extraordinaires: «Par grâce spéciale je vous montrerai, disait-il, une très sainte et belle relique, laquelle j'ai moi-même rapportée de la Terre-Sainte d'outre-mer, et qui consiste en une plume de l'ange Gabriel. Elle était restée dans la chambre de la Vierge Marie quand il vint faire l'annonciation à Nazareth [204]!» La plume, qui était *una penna di quelle della coda d'un papagallo*, est remplacée, grâce à quelques mauvais plaisants, par des charbons dans la cassette du saint homme; quand il s'aperçoit de la métamorphose, il n'est point ému; il commence le récit de ses grands voyages et explique comment, au lieu de la plume, on va voir dans son coffret les charbons qui ont grillé saint Laurent. Il les a reçus de «Messer Non-mi-blasmete-se-voi-piace,» le digne patriarche de Jérusalem, lequel patriarche lui a montré encore «un doigt de l'Esprit Saint, aussi complet et entier qu'il ait jamais été... et un ongle de chérubin... et quelques rayons de l'étoile qui apparut aux trois mages d'Orient et un flacon de la sueur de saint Michel lorsqu'il combattit le démon,» et il lui a donné, «dans une petite bouteille, un peu du son des cloches de Salomon [205].»

Ce sont là plaisanteries de poètes, mais elles sont moins exagérées qu'on ne pourrait croire. Ne montrait-on pas aux pèlerins, à Exeter, un morceau «de la chandelle que l'ange du Seigneur alluma dans le tombeau du Christ?» C'était une des reliques réunies dans la vénérable cathédrale par Athelstane, «le roi très glorieux et très victorieux,» qui avait envoyé à grands frais des émissaires sur le continent pour recueillir ces précieuses dépouilles. La liste de leurs trouvailles, qui nous a été conservée dans un missel du onzième siècle, comprend encore un peu du «buisson dans lequel le Seigneur parla à Moïse» et une foule d'autres curiosités [206].

Matthieu Paris raconte que de son temps les frères prêcheurs donnèrent à Henri III un morceau de marbre blanc sur lequel se trouvait la trace d'un pied humain. D'après le témoignage des habitants de Terre-Sainte ce n'était rien moins que la marque d'un des pieds du Sauveur, marque qu'il laissa comme souvenir à ses apôtres, lors de son ascencion. «Notre seigneur le roi fit placer ce marbre dans l'église de Westminster à laquelle il avait déjà offert peu auparavant du sang de Jésus-Christ [207].»

Les rois continuent au quatorzième siècle à donner l'exemple au menu peuple et à acheter des reliques d'une authenticité douteuse. On voit par les comptes des dépenses d'Edouard III qu'il paya cent shillings, la trente-sixième année de son règne, pour avoir un habit qui avait appartenu à saint Pierre. Ce n'était pas très cher, et il faut bien que le vendeur et l'acheteur aient eu eux-mêmes quelques doutes sur la sainteté de la relique. On voit, en effet, le même roi payer dix fois plus, c'est-à-dire cinquante livres, un cheval bai-brun appelé Bayard qui avait les pieds de derrière blancs, et soixante-dix livres un cheval gris pommelé, appelé Labryt [208].

En France à la même époque, le sage roi Charles V eut un jour la curiosité de visiter l'armoire de la Sainte-Chapelle où étaient les reliques de la passion. Il y trouva une ampoule avec une inscription en latin et en grec indiquant que le contenu était un peu du sang de Jésus-Christ. «Adont, raconte Christine de Pisan, ycelluy sage roy, pour cause que aucuns docteurs ont voulu dire que, au jour que Nostre Seigneur ressuscita, ne laissa sur terre quelconques choses de son digne corps que tout ne fust retourné en luy, volt sur ce scavoir et enquérir par l'opinion de ses sages, philozophes natureuls et théologiens, se estre pouoit vray que sur terre eust du propre pur sang de Jhesu-Crist. Colacion fu faicte par les dicts sages assemblez sus ceste matière; la dicte ampolle veue et visitée à grant révérance et solemnité de luminaire, en laquelle, quant on la penchoit ou baissoit, on véoit clerement la liqueur du sang vermeil couler au long aussi fraiz comme s'il n'eust que trois ou quatre jours qu'il eust esté seignez: la quelle chose n'est mie sanz grant merveille, considéré le long temps de la passion.—Et ces choses scay-je certainement par la relacion de mon père, qui, comme philozophe serviteur et conseillier dudit prince fu à celle colacion.»

Après cet examen fait à grande «solemnité de luminaire», les docteurs se déclarèrent pour l'authenticité du miracle: lequel n'était en réalité pas plus surprenant que celui de la cathédrale de Naples où l'on voit, aujourd'hui encore, se liquéfier, plusieurs fois par an, le sang du patron de la ville [209].

Les pardonneurs vivaient joyeusement; certes, après une journée bien remplie, ils devaient être à l'auberge de gais compagnons. La pensée de la multitude de péchés qu'ils avaient remis, d'excommunications qu'ils avaient levées, de peines qu'ils avaient commuées, eux simples vagabonds menacés de potence, la conscience de leur impunité, la singularité de leur existence, la triomphante réussite de ces folles harangues qui leur donnaient la clef du ciel, devaient faire monter à leur cœur des bouffées incroyables de grosse joie brutale. Leur tête remplie d'anecdotes leur fournissait la matière d'interminables bavardages où le sacré et le profane, la grossièreté native et la dévotion d'emprunt, l'homme réel et l'homme factice, se rencontraient brusquement au bruit des brocs et des écuelles qui se heurtaient sur la table. Voyez à la marge d'un vieux psautier [210] la sèche figure de maître Renard, crosse entre les pattes, mitre en tête; il fait un sermon à la foule ébahie des canards et des oies de la basse-cour. Le geste est plein d'onction, mais l'œil abrité par le poil fauve a un éclat cruel qui devrait faire prévoir la péroraison. Mais non, la basse cour glousse dévotement et ne se doute de rien; malheur aux canards quand la mitre sera tombée: «et tu Domine, deridebis eos», dit le psalmiste précisément à cet endroit. Quelle connaissance singulière du cœur humain devaient avoir de tels individus et quelles expériences curieuses ils devaient faire chaque jour! jamais êtres plus indignes ne s'étaient parés de pouvoirs surnaturels plus grands. Il rit, le monstre difforme, accroupi au chevet de la cathédrale; il grimace hideusement sur son piédestal aérien. Et dans l'espace, jusqu'aux nuages, montent les flèches à jour; les aiguilles ciselées se détachent en dentelle sur le ciel, les saints font, sous le porche, leur prière éternelle, les cloches envoient leurs volées dans l'air et les âmes sont saisies, comme d'un frisson, de ce tremblement mystérieux que le sublime fait éprouver. Il rit: les cœurs se croyaient purifiés; mais il a vu leurs plaies hideuses, une main puissante les élargira; la bordure des toits touche aux nuages; mais son regard plonge dans la lucarne, il voit une poutre qui cède, les ais vermoulus qui craquent et tout un peuple d'êtres obscurs qui poursuivent lentement dans les combles leur travail séculaire de démolition: il rit et grimace hideusement.

Au fond de sa taverne le pardonneur est encore assis. C'est Chaucer qui entre, c'est le chevalier, c'est l'écuyer, c'est le frère, c'est l'hôte, vieilles connaissances. Nous sommes entre nous, on peut parler sans crainte, la bière mousseuse rend les cœurs expansifs, et voilà les replis secrets de cette âme tortueuse qui se déroulent à la vue: c'est le résumé de toute une vie qu'il nous donne, la théorie de son existence, la clef de tous ses secrets. Qu'importe sa franchise? il sait qu'elle ne peut pas lui nuire; vingt fois l'évêque a mis à jour ses pratiques, et la foule s'est toujours attroupée autour de lui. Et ses compagnons, qui sait, ses compagnons plus éclairés, à qui il fait voir les ressorts cachés de l'automate, qui sait si demain ils la croiront sans vie? leur mémoire, leur raison le leur diront et leur cœur doutera encore. Si l'habitude fait la moitié des croyances, la leur est enracinée, combien plus celle de la foule! Et le pardonneur aussi, pensez-vous qu'il voie toujours clairement ce qu'il est, croyez-vous que son scepticisme soit absolu? lui pour qui rien n'est saint et dont l'existence même est une dérision perpétuelle des choses sacrées, il a aussi ses heures de crainte et de terreur, il tremble devant cette puissance formidable qu'il a dit tenir entre ses mains et dont il a fait un ridicule jouet; lui ne l'a pas, mais d'autres la possèdent, pense-t-il, et il hésite: le monstre se regarde et il a peur.

Elle était facile à diriger dans le sens du merveilleux, la croyance populaire. Les règlements défendent de faire apparaître des larves ou des revenants dans ces longues veillées qu'on passait autour des cadavres, et on essaie de désobéir, on croit le faire. En présence de l'horrible il se produisait dans les cœurs une réaction étrange, on sentait passer comme un vent de folie qui prédisposait à tout voir et à tout croire, une gaieté nerveuse et diabolique s'emparait des êtres, et les danses et les jeux lascifs s'organisaient. On dansait dans les cimetières pendant ces nuits de deuil qui précédaient les fêtes, et on dansait aussi pendant la veillée des morts. Le concile d'York en 1367 défend «ces jeux coupables et ces folies et toutes ces coutumes perverses... qui transforment une maison de larmes et de prières en une maison de rire et d'excès». Le concile de Londres en 1342 prohibait de même «des coutumes superstitieuses qui font négliger la prière et tenir en pareil lieu des réunions illicites et indécentes [211]». La guild des pèlerins de Ludlow permet à ses membres d'aller aux veillées des morts, pourvu qu'ils s'abstiennent de susciter des apparitions et de tous jeux déshonnêtes [212]. Quant aux sorcières de profession, elles allaient au bûcher, comme cela arriva, à cette époque, à Pétronille de Meath, convaincue d'avoir fabriqué des poudres avec «des araignées et des vers noirs, pareils à des scorpions, en y mêlant une certaine herbe appelée mille-feuilles et d'autres herbes et vers détestables [213]». Elle avait fait aussi de telles incantations que «le visage de certaines femmes semblait cornu comme des têtes de chèvres»; aussi elle eut sa juste punition: «on la brûla devant une multitude immense de peuple avec tout le cérémonial usité.» Des faits pareils peuvent seuls expliquer l'existence du pardonneur.

Ajoutez que la recherche de la pierre philosophale était l'occupation constante de beaucoup de docteurs redoutés; tout le monde n'avait pas ce clair bon sens, cette verve facile, cette souveraine bonne humeur et aussi cet esprit pénétrant qui permettent à Chaucer de nous dévoiler en riant les mystères de l'alchimiste. Il secoue tous les alambics et toutes les cornues et dans ces appareils aux formes bizarres, qui effraient l'imagination, il nous fait voir non pas le lingot de métal pur nouvellement créé, mais le mélange préparé d'avance par l'imposteur [214]. On attribuait aux plantes et aux pierres des vertus surnaturelles; les contemporains renchérissaient sur les inventions antiques en les rajeunissant. Gower croit bien faire en intercalant dans un poème d'amour tout ce qu'il sait sur la constitution du monde et les vertus des choses [215]; chez les véritables savants, la masse des indications fabuleuses remplit des volumes. Barthélemi de Glanville, dont l'ouvrage est une encyclopédie des connaissances scientifiques au quatorzième siècle, rappelle que le diamant détruit l'effet du venin et des incantations magiques et rend manifeste la peur de quiconque en porte; la topaze empêche les morts subites, etc. [216].

Quand on songe à tant de vaines croyances qui embarrassaient les cerveaux d'alors, il est difficile de ne pas se rappeler, et avec un grand sentiment de plaisir, que dans un âge qui n'était nullement exempt de ces faiblesses, personne ne les a condamnées avec plus d'éloquence que notre Molière: «Sans parler du reste, jamais, dit-il, il n'a été en ma puissance de concevoir comme on trouve écrit dans le ciel jusqu'aux plus petites particularités de la fortune du moindre homme. Quel rapport, quel commerce, quelle correspondance peut-il y avoir entre nous et des globes éloignés de notre terre d'une distance si effroyable? et d'où cette belle science enfin peut-elle être venue aux hommes? Quel dieu l'a révélée? ou quelle expérience l'a pu former de l'observation de ce grand nombre d'astres qu'on n'a pu voir encore deux fois dans la même disposition?»

Peine et éloquence perdues, il y aura toujours des Timoclès pour observer, d'un air sage: «Je suis assez incrédule pour quantité de choses, mais pour ce qui est de l'astrologie, il n'y a rien de plus sûr et de plus constant que le succès des horoscopes qu'elle tire [217].»

De même s'évanouissaient en fumée les tempêtes que Chaucer, Langland et Wyclif suscitaient contre les pardonneurs hypocrites de leur temps.

CHAPITRE V
LES PÈLERINAGES ET LES PÈLERINS

Les pèlerinages pieux et les pèlerinages politiques.—Les corps des rebelles suppliciés par ordre du roi font des miracles.—La foule se presse à leurs tombeaux.—Indignation du roi.

Lieux de pèlerinage en Angleterre.—Mélange des classes sociales dans les bandes de pèlerins.—Les médailles, les bâtons.—Le retour, les histoires édifiantes.—Le pèlerin de circonstance et le pèlerin par profession.—Le faux pèlerin.

Lieux de pèlerinage sur le continent (France, Espagne, Italie).—Les passeports.—Indulgences attachées aux châsses des saints.—Manuel des indulgences à l'usage des pèlerins.—Comment les pèlerins vivaient en route.—Les pèlerinages par procuration.

Les pèlerinages en Palestine.—La dévotion, la curiosité et le goût des aventures.—Les troupes armées de pèlerins.—Les guides du voyageur en Palestine.—Le guide attribué à Mandeville et le guide de William Wey.

Malgré le talent des médecins, des devins même et des sorciers, il y avait des maladies qui résistaient aux meilleurs remèdes, et alors on promettait d'aller en pèlerinage ou on s'y faisait porter pour demander sa guérison. Les pèlerinages étaient incessants; on s'y rendait pour satisfaire à un vœu comme en cas de maladie, ou simplement en expiation de ses péchés [218]. On allait prier saint Thomas de Cantorbéry ou Notre-Dame de Walsingham. On allait aussi au tombeau de l'égoïste comte de Lancastre [219] dont la passion populaire avait fait un saint. La foule se pressait, par esprit de contradiction, à Pontefract où le rebelle avait été décapité, et les pèlerins devenaient chaque jour plus nombreux, au grand scandale de l'archevêque d'York. Une lettre de ce prélat montre l'inutilité des prohibitions; la pensée du semblant de persécution des croyants organisée par un archevêque excite le zèle et la dévotion; on imagine plaire au martyr en se laissant martyriser un peu soi-même. Aussi, en attendant la canonisation, il se forme près de la tombe des assemblées si nombreuses et si tumultueuses qu'on y signale «des homicides et des blessures mortelles... et que des dangers plus grands encore et sans doute fort imminents sont à redouter [220].» Cela se passait l'année même qui avait suivi l'exécution du comte; il est enjoint à l'official d'empêcher à tout prix ces réunions et de les disperser, en attendant que le pape prononce; mais les rassemblements persistent et Henri de Lancastre écrit en 1327 à l'archevêque d'York pour le prier d'en référer au souverain pontife et de «tesmoigner la fame des miracles que Dieu ouvre por nostre tres chere seigneur et frère [221].» En 1338, un épicier de Londres vend un hanap de bois (mazer) orné d'une «image de *saint Thomas de Lancastre* [222].» Humphrey de Bohun, comte de Hereford et d'Essex, mort en 1361, lègue de l'argent à des gens pieux qui feront divers pèlerinages pour son compte, et il recommande notamment qu'on loue «un bon home et loial,» chargé d'aller à «Pountfreyt et offrir illoeques à la toumbe Thomas, jadys counte de Lancastre, 40 s. [223]» Faire du rebelle un saint était le moyen le plus énergique de protester contre le roi, et le peuple ne manquait guère cette occasion lorsqu'il était gouverné par certains rois. Henri III, en 1266, est obligé de défendre que Simon de Montfort soit considéré comme saint; or Simon était mort excommunié, ainsi que le représentaient au roi les évêques et barons auteurs des pétitions comprises dans le *Dictum de Kenilworth* [224]; il avait donc peu de chances d'être canonisé. Mais cela n'empêchait pas de composer en son honneur des hymnes latines, en petits vers, comme pour un saint [225].

Le rebelle était à peine mort que le sentiment populaire, souvent défavorable au héros pendant sa vie, ne reconnaissait plus en lui qu'un révolté contre l'ennemi commun, et par sympathie lui assignait sa place au ciel. La révolte active brusquement interrompue par un supplice se perpétuait ainsi à l'état latent et tout le monde venait voir Dieu lui-même prendre le parti des opprimés et proclamer l'injustice du roi en faisant des miracles sur le tombeau du condamné. Le souverain se défendait comme il pouvait, il dispersait les attroupements et prohibait les miracles. Ainsi Édouard II, en 1323, écrit «à ses fidèles Jean de Stonore et Jean de Bousser [226]», prescrivant une enquête qui sera suivie de mesures plus graves. Il leur rappelle que, «il y a peu de temps, Henri de Montfort et Henri de Wylynton, ennemis du roi et rebelles, sur l'avis de la cour royale, ont été écartelés et pendus à Bristol, et il avait été décidé que leurs corps, aussi longtemps qu'il en resterait quelque chose, demeureraient attachés au gibet, pour que d'autres s'abstinssent de crimes et de méfaits pareils contre le roi.» De ces restes sanglants et mutilés, par une protestation violente, le peuple a fait des reliques et les entoure avec respect. Reginald de Montford, Guillaume de Clyf, Guillaume Courtois et Jean son frère et quelques autres, pour rendre le roi odieux au peuple, ont organisé sur les lieux où les corps de ces ennemis et rebelles sont encore suspendus, de faux miracles.

Il fallait sévir de tous les côtés à la fois; pendant qu'on vénérait les cadavres des suppliciés de Bristol, la seule image de Thomas de Lancastre dans la cathédrale de Londres attirait une foule de pèlerins et faisait aussi des miracles. Cette même année 1323, Edouard II écrit avec une grande irritation à l'évêque:

«Il est venu à nos oreilles (et cela nous est très désagréable) que beaucoup de personnes appartenant au peuple de Dieu confié à votre garde, victimes d'une duperie infernale, s'approchaient dans leur folie d'un panneau placé dans votre église de Saint-Paul où se trouvent des statues ou des images peintes et notamment celle de Thomas, jadis comte de Lancastre, rebelle, notre ennemi. Sans aucune autorisation de l'Église romaine, ces gens vénèrent et adorent cette image et affirment qu'il se fait là des miracles: ce qui est un opprobre pour toute l'Église, une honte pour nous et pour vous, un danger manifeste pour les âmes du peuple susdit et un exemple dangereux [227].»

L'évêque le sait, continue le roi, et encourage en secret ces pratiques, sans autre motif que de profiter des offrandes, «ce dont, ajoute Édouard II, nous sommes affligés profondément.» Suivent les prohibitions habituelles.

C'étaient là des pèlerinages de circonstance. Il y en avait d'autres que la réputation de sainteté d'un mort, et non son ancienne influence politique, mettaient aussi en faveur pour quelque temps. Pendant des années on vint en foule visiter la tombe de Richard Rolle, ermite d'Hampole, mort en 1349, sans attendre bien entendu que ce solitaire eut été canonisé, car il ne le fut jamais. Parfois les couvents qui n'avaient ni reliques, ni corps de saints illustres pour attirer les pèlerins, ni aubépine merveilleuse comme celle de Glastonbury, faisaient fabriquer par un artiste pieux une image digne d'attention; elle était inaugurée avec solennité et on cherchait ensuite à la mettre en renom par tous les moyens permis. Thomas de Burton, abbé de Meaux, près Beverley, raconte dans la chronique qu'il rédigea lui-même, à la fin du quatorzième siècle, des événements intéressant son riche monastère, un fait de ce genre, des plus remarquables. L'abbé Hugues de Leven, un de ses prédécesseurs, avait, dans la première moitié du siècle, commandé pour le chœur de la chapelle un nouveau crucifix. «Et l'artiste ne travaillait à aucune partie belle et importante de son ouvrage, si ce n'est les vendredis, et en jeûnant au pain et à l'eau. Et il avait sous les yeux pendant tout le temps un homme nu, et il s'appliquait à donner à son crucifix la beauté du modèle. Par le moyen de ce crucifix, le Tout-Puissant fit des miracles manifestes, continuellement. On pensa alors que si l'accès jusqu'à ce crucifix était permis aux femmes, la dévotion commune en serait augmentée et de grands avantages en résulteraient pour notre monastère. Sur quoi l'abbé de Cîteaux, à notre requête, nous accorda la licence de laisser les hommes et les femmes honnêtes approcher dudit crucifix: pourvu toutefois que les femmes n'entrassent pas dans le cloître, le dortoir et les autres parties du monastère.... Mais, profitant de cette licence, pour notre malheur, les femmes se sont mises à venir en nombre à ce crucifix, bien qu'en elles la dévotion soit refroidie et qu'elles ne se présentent que pour regarder l'église. Elles ne servent qu'à augmenter notre dépense par l'obligation où nous sommes de les recevoir.»

Cette plainte naïve est intéressante à bien des points de vue; elle montre sans détours comment on s'y prenait pour mettre en faveur tel ou tel sanctuaire auprès des pèlerins: dans le cas présent, l'effort tenté ne réussit pas, les prodiges ne semblent pas avoir répondu à l'attente et on ne vint plus que par curiosité visiter l'église du couvent. Au point de vue artistique, le fait est plus important encore, car c'est là le plus ancien exemple de sculpture d'après le modèle vivant, d'après le nu, qu'on ait en Angleterre, exemple très digne de remarque.

Un autre essai du même genre, pour populariser une chapelle, avait été expérimenté dans l'église paroissiale de Foston (1313); mais l'archevêque d'York, William Grenefeld, s'était scandalisé d'un tel abus et par une belle lettre pleine de sens, il avait mis fin au «grand concours de gens simples qui venaient visiter une certaine image de la Sainte Vierge placée récemment dans l'église, comme si cette image avait quelque chose de plus divin qu'aucune de ses pareilles....» (Ap. 27.)

Pèlerinages de circonstance à part, en temps ordinaire, chez les Anglais, on allait plutôt à Notre-Dame de Walsingham, ou bien on louait des chevaux à Southwark, avec relai à Rochester et on partait pour Saint-Thomas de Cantorbéry. Cette route étant la grand'route du continent, un service régulier de chevaux de louage avait été établi sur son parcours; on payait douze pence de Southwark (Londres) à Rochester, douze pence de Rochester à Cantorbéry, six pence de Cantorbéry à Douvres. Les chevaux étaient marqués au fer rouge d'une manière bien apparente pour que des voyageurs peu scrupuleux ne fussent pas tentés de quitter la route et de s'approprier leurs montures [228]. Le sanctuaire de Notre-Dame de Walsingham et celui de Saint-Thomas avaient une réputation européenne [229]; riches et pauvres s'y présentaient en foule; Chaucer, qui nous montre tous les rangs de la société confondus pendant le cours d'un voyage saint, ne doit pas être taxé d'invraisemblance. La grande majorité de ces pèlerins étaient sincères et de bonne foi: ils avaient fait un vœu et venaient l'accomplir. Dans ces dispositions, le chevalier, qui trouvait sur sa route un pèlerin comme lui-même, devait être moins disposé que jamais à le traiter avec hauteur; du reste, si les distances étaient grandes de classe à classe à cette époque, la familiarité l'était plus encore. La distance a bien diminué aujourd'hui et la familiarité aussi, comme par compensation. Le seigneur se sentait assez au-dessus des gens du peuple pour ne pas craindre d'user avec eux, à l'occasion, d'une sorte d'intimité joviale; aujourd'hui que les supériorités de rang ont moins d'importance, chacun se montre plus attentif et prend garde de ne pas franchir une limite qu'on ne voit presque plus.

Arrivé au but du voyage, on priait; on priait avec ferveur, dans la posture la plus humble. Un émoi religieux remplissait l'âme quand du fond de la majestueuse allée des grands piliers de l'église, dans le demi-jour coloré des nefs, on devinait du cœur, sans le bien voir encore des yeux, le mystérieux objet qu'on était venu vénérer de si loin, au prix de tant de fatigues. Si l'homme pratique, accouru au galop de son cheval pour marchander avec le saint la faveur de Dieu, si l'émissaire envoyé pour faire offrande au nom de son maître gardaient la paupière sèche et l'œil brillant, des larmes jaillissaient sur les joues du pauvre et du simple d'esprit; il goûtait pleinement l'émotion pieuse qu'il était venu chercher, la paix du ciel descendait dans son cœur et il s'en allait consolé.

Les partisans de Wyclif, les non-croyants étaient le petit nombre; ils étaient poursuivis sévèrement et dans l'abjuration solennelle de leurs hérésies, à laquelle on les réduisait d'ordinaire, mention expresse était faite des saints pèlerinages. C'est ce que montre le serment d'abjuration du lollard William Dynet de Nottingham; il s'engage, le 1er décembre 1395, devant l'archevêque d'York, «de ce jour en avant, à vénérer les images, à leur faire des prières et des offrandes en l'honneur des saints qu'elles représentent, et à ne jamais plus mépriser les pèlerinages.» A la réforme seulement, le doute deviendra général, et, du paysan au baron, tout le peuple s'assimilera des raisonnements comme ceux de Latimer:

«Que pensez vous de ces images dont les unes ont meilleure renommée que les autres, vers lesquelles on se rend au prix de tant de peines et de fatigues corporelles, qu'on fréquente à si grands frais, qu'on recherche et visite avec une telle confiance? que dites-vous de ces images si fameuses, si nobles, si célèbres, dont il y a en Angleterre une variété et un nombre si grands? Pensez-vous que cette préférence de telle peinture à telle autre, d'une image à une autre image soit, non pas un abus, mais la façon dont il convient d'user des images?» (Ap. 28.)

En attendant, on prie dévotement. La prière achevée chacun fait, en proportion de sa fortune, une offrande au saint. Quand le roi, dans ses perpétuelles allées et venues, se détournait pour visiter une châsse vénérée, il était d'usage qu'il donnât sept shillings. Les ordonnances d'Édouard II sur la tenue de sa maison font mention expresse de la somme [230]. Ensuite on achetait, comme aujourd'hui, des médailles en souvenir du lieu. Seulement elles étaient en étain ou en plomb et à jour, un peu comme celles de Sainte-Anne d'Auray en Bretagne, mais plus grosses. A Cantorbéry, elles représentaient saint Thomas; à Saint-Jacques, des coquilles; à Amiens, la tête de saint Jean-Baptiste; à Rome, le saint suaire qu'on appelait *Vernicle* [231]. On portait ces souvenirs, dont les collections d'antiquités renferment encore des spécimens, bien apparents, cousus sur sa poitrine ou à son chapeau. Le chapeau du roi Louis XI en était toujours garni; on sait jusqu'où ce prince poussait la vénération pour les reliques, les médailles et les images: «Et véritablement, écrit son contemporain, Claude de Seyssel, sa dévotion sembloit plus supersticieuse que religieuse. Car en quelque ymage ou église de Dieu et des sainctz et mesmement de nostre dame qu'il entendist que le peuple eust dévotion ouquel se fist quelque miracle, il y alloit faire ses offrandes ou y envoyoit homme exprès. Il avoit au surplus son chapeau tout plain d'ymages la plus part de plomb ou d'estain, lesquelles à tous propos quant il lui venoit quelques nouvelles bonnes ou mauvaises ou que sa fantaisie lui prenoit, il baisoit, se ruant à genoulx quelque part qu'il se trouvast si soubdainement quelque fois qu'il sembloit plus blessé d'entendement que sage homme [232].»

De même que le roi Louis XI, les pèlerins de profession portaient en grand nombre des images et des médailles sur leurs habits. Car, à côté du pèlerin de circonstance qui venait faire offrande à telle ou telle châsse en accomplissement d'un vœu et retournait ensuite reprendre le cours de sa vie ordinaire, il y avait le pèlerin par état, le *palmer* ou paumier, dont l'existence entière se passait à voyager d'un sanctuaire à l'autre, toujours en route et toujours mendiant. Le frère, le pardonneur et le *palmer* sont les trois types les plus curieux de la race religieuse nomade, parce qu'ils n'ont guère d'équivalent de nos jours. Tous n'avaient pas une vie également errante: le *palmer*, qui changeait constamment de pays, dépassait les autres sur ce point. Comme le pardonneur, il avait une grande expérience des choses et des hommes; il avait beaucoup vu, mais à ce qu'il avait retenu se mêlait une foule d'imaginations nées de son cerveau. Lui aussi avait à édifier la multitude à qui il tendait la main, et les belles histoires dont il était le héros ne devaient pas lui manquer, sous peine de mourir de faim; c'était son gagne-pain; à force de répéter ses contes il finissait par y croire à demi, puis tout à fait, et sa voix prenait dès lors cet accent de vérité qui peut seul faire naître dans l'auditoire la conviction. Du reste il venait de si loin qu'il avait pu voir bien des merveilles: autour de nous, pensait-on, la vie coule sans prodiges et presque sans accidents dans sa plate monotonie; mais on sait que dans les pays lointains il en est tout différemment [233]. Et la meilleure preuve est que nul de ceux qui ont entrepris le voyage ne déclare avoir été déçu, bien au contraire; au surplus, le plaisir de les croire est assez innocent et nous aurions tort de nous le refuser.

Ainsi raisonnait machinalement la foule qui écoutait et riait quelquefois, mais le plus souvent se recueillait et demeurait attentive. Le pèlerin était assez respecté pour vivre, et il avait soin, par le récit de ses misères, de se rendre plus vénérable encore; les médailles de plomb cousues à ses habits en grand nombre parlaient haut en sa faveur, et l'on recevait bien un homme qui avait passé par Rome et par Jérusalem et pouvait donner des nouvelles des «adorateurs» de Mahomet. Il avait un sac suspendu au côté pour les provisions, et un bâton à la main; au sommet du bâton, une pièce de métal avec une inscription appropriée, comme par exemple la devise d'un anneau de bronze trouvé à Hitchin, une croix et ces mots: «Hæc in tute dirigat iter»; qu'elle te conduise et te protège dans ta route. [234]

Mais, comme nous l'avons remarqué, la race errante tout entière était mal vue des officiers du roi; ces allées et ces venues inquiétaient le shériff. Nous savons que les ouvriers las de leur maître le quittaient sous prétexte de pèlerinages lointains et déposaient sans scrupule le bâton voyageur à la porte d'un nouveau maître qui les payait mieux. Les faux pèlerins n'étaient pas plus rares que les faux pardonneurs et les faux ermites; aussi sont-ils condamnés au repos, sous peine de prison, par les mêmes statuts que les mendiants et les ouvriers errants. Il leur faudra désormais, comme à ceux-ci, ordonne Richard en 1388 [235], des lettres de passe avec le sceau spécial confié à certains prud'hommes. Sans cela, qu'on les arrête, à moins qu'ils ne soient infirmes et incapables de travail, car il est évident alors qu'ils ne vont pas à Walsingham par amour du vagabondage et que leur voyage a un but sérieux: «Et qe de toutz ceux q'aillent en pilrinage, come mendinantz et sont puissant de travailler, soit fait come les ditz servantz et laborers s'ils n'eient lettres testimoniales de lor pilrinage desouz les sealx avantditz.» Même sévérité quand il s'agit de passer la mer; il faudra se munir de passeports en règle, et la prescription comprend «toutes manères des gentz, si bien clercs come autres,» sous peine de confiscation de tous les biens. Les réserves faites par le roi montrent que c'est à la race nomade seule qu'il en veut, car il y a dispense pour les «seignurs et autres grants persones del roialme», pour les «verrois et notables marchantz» et enfin pour les «soldeours le roi».

Ce passeport ou «licence», cet «especial congié le roi» ne se délivre qu'à certains ports fixés, qui sont: Londres, Sandwich, Douvres, Southampton, Plymouth, Dartmouth, Bristol, Yarmouth, Saint-Botolph, Kingston-upon-Hull, Newcastle-upon-Tyne et les ports du rivage en face de l'Irlande. Des peines très sévères sont prescrites pour tous gardiens de ports, inspecteurs, capitaines de navires, etc., qui se montreraient négligents ou, à plus forte raison, favorables aux nomades. L'année suivante, 1389, le roi ne permet plus aux pèlerins qui vont sur le continent de s'embarquer autre part qu'à Douvres et à Plymouth. Pour prendre la mer ailleurs, il leur faudra avoir un «especial congié du roi mesmes [236].»

Mais l'attrait des pèlerinages lointains était grand: avec ou sans lettres on passait la Manche; on arrivait à Calais et on s'arrêtait quelque temps dans une «maison-Dieu» qui y avait été construite et que les âmes pieuses avaient dotée de revenus «pur sustentation des pilrines et autres poverez gentz repairantz au dite ville, pur eux reposer et refresher [237].» On repartait, on se rendait à Boulogne pour implorer une vierge miraculeuse dont une main subsiste encore, enfermée dans un reliquaire. La statue elle-même fut jetée dans un puits par les protestants en 1567; replacée sur l'autel en 1630, elle en fut arrachée de nouveau à la révolution et brûlée; mais un fidèle sauva la main que l'église de Notre-Dame conserve aujourd'hui. La commère voyageuse de Chaucer, entre autres pélerinages, avait fait celui de Boulogne [238]. On allait encore à Amiens vénérer une tête de saint Jean-Baptiste [239]; à Rocamadour, prier une madone célèbre; en Espagne, saint Jacques. Quelquefois on se rendait directement par mer, de Sandwich, de Bristol où d'un autre port, jusqu'en Espagne. A en juger par la complainte d'un pélerin qui nous est parvenue, on ne pouvait pas s'attendre à un grand confort sur les bateaux: «Il ne faut pas penser à rire,—quand on va par mer à Saint Jacques» écrit ce pélerin; on a le mal de mer; on est bousculé par les marins, sous prétexte qu'on gène la manœuvre; les remarques railleuses des hommes de mer sont pénibles à entendre: «Certains, je pense, vont tousser et geindre—avant minuit» observe le capitaine, et s'adressant au cuisinier: «Cuisinier, sers notre dîner;—quant aux pèlerins, ils n'ont pas envie de manger!» Les pauvres passagers s'ennuyent beaucoup: ils essayent de lire un livre sur leurs genoux, mais à la longue ils voient trouble, grâce aux mouvements du bateau. Les malades réclament du malvoisie chaud pour se réconforter. «Ah! ma tête se fend,» crie l'un d'eux, et voici justement un matelot facétieux qui vient hurler à leurs oreilles: «Courage, dans un instant nous serons en pleine tempête!» Bref, ils étaient bien malheureux et comme le narrateur le disait au début, ils n'avaient guère envie de rire. (Ap. 29).

Partout dans les sanctuaires vénérés, des ex-voto étaient suspendus; si, en frappant avec des incantations appropriées une statuette de cire, on pouvait vous faire grand mal, en plaçant votre image dans la chapelle d'un saint, on pouvait vous faire gagner de grandes faveurs et particulièrement vous guérir en cas de maladie [240]. A Rocamadour [241] on voyait des tresses de cheveux de femmes: c'étaient, raconte le chevalier de la Tour Landry, celles de «dames et de demoiselles qui s'estoient lavées en vin et en autres choses que pures lessives, et pour ce, elles ne peurent entrer en l'esglise jusques à tant que elles eurent fait copper leurs tresses qui encore y sont [242].» Mais ce qui attirait beaucoup aussi, c'étaient les indulgences.

Elles étaient considérables, et l'imagination populaire en augmentait encore l'étendue. Le pèlerin qui revenait de Rome et regagnait son foyer en exagérait le nombre aussi volontiers que celui des merveilles qu'il avait vues ou cru voir. Un pèlerin de cette sorte a laissé dans un court poème ses impressions de voyage; c'était un Anglais du quatorzième siècle qui revenait d'Italie ébloui par ses souvenirs. Sa verve n'est pas très poétique, mais il faut tenir compte de son intention qui est seulement de réunir des chiffres exacts: aussi, sans s'attarder à des descriptions pittoresques, il ne nous donne que des renseignements précis. Sa forte dévotion étroite ne lui a fait voir autre chose que des corps de martyrs par milliers et il les énumère avec persévérance. Par milliers aussi se comptent les années d'indulgences qu'il fait miroiter comme un appât aux yeux de ses compatriotes. Mais avant tout il faut qu'il donne un abrégé de l'histoire de Rome: c'est une cité dans laquelle vint d'abord s'établir la duchesse de Troie avec ses deux fils, Romulus et Romulon, qui depuis fondèrent la ville. La duchesse semble donc avoir choisi pour s'y fixer une ville qui n'existait pas encore, inadvertance qu'il faut pardonner au narrateur. Les habitants étaient païens au début, mais Pierre et Paul «des rachetèrent, non à prix d'or ou d'argent ou de biens terrestres, mais par leur chair et par leur sang.»

L'énumération des églises commence aussitôt et, pour chacune d'elles, nous apprenons invariablement la quantité de reliques qu'elle renferme et d'indulgences qui y sont attachées. Les bienfaits sont proportionnés aux mérites: ainsi, quand on voit le *vernicle*, c'est-à-dire le saint suaire qui a reçu l'image du Sauveur, on gagne trois mille ans d'indulgences si on est de Rome, neuf mille si on vient du pays voisin; mais «à toi qui viens de par delà la mer, douze mille années te sont réservées.» Quand on entre à SS. Vitus et Modestus, le tiers de vos péchés vous sont remis. On allume une chandelle et on descend dans les catacombes [243]:

«Il faut que tu prennes une chandelle allumée,—sans quoi tu seras dans les ténèbres comme si c'était nuit.—Car sous la terre il faut descendre;—tu ne vois plus clair ni devant ni derrière.—C'est là que maintes gens s'enfuirent,—en péril de mort, pour se sauver,—et ils ont souffert des peines dures et cruelles—afin de demeurer à jamais aux cieux.»

Les corps des martyrs sont innombrables; il y en a quatre mille à Sainte-Prudence, treize cents à Sainte-Praxède, sept mille à SS. Vitus et Modestus. De temps en temps un nom fameux fait donner un aperçu historique, tel que le récit de la fondation de Rome ou la vie abrégée de Constantin:

In Mahoun was al his thouht.

«Il n'avait que Mahomet en tête.» Païen et lépreux, Constantin est converti et guéri par le pape Silvestre. L'église Sainte-Marie-la-Ronde portait jadis un autre nom: «Agrippa la fit construire—en l'honneur de Sybile et de Neptune—.... il l'appela Panthéon.» Il y plaça tout en haut une idole magnifique, en or, d'une forme particulière: «Elle avait la tournure d'un chat,—il l'appelait Neptune [244].»

Mais le pape Boniface pria l'empereur Julien de lui donner le Panthéon, à quoi ce prince consentit, et le 1er novembre d'une certaine année, le souverain pontife consacra l'édifice et le baptisa Sainte-Marie-la-Ronde. Quant aux reliques, il n'y a pas un objet mentionné par l'Évangile qui n'ait été retrouvé et qu'on ne puisse vénérer à Rome [245]. Ainsi on y voit la table de la Cène, la verge d'Aaron, des fragments des pains et des poissons multipliés, du foin de la crèche, un lange de l'Enfant Jésus et plusieurs autres objets, dont l'un au moins est bien étrange. Quelques-unes de ces reliques sont encore dans les mêmes églises, par exemple le portrait de la Vierge par saint Luc, à Santa Maria Maggiore [246], «Seinte Marie the Maiour»: ce n'est pas, au reste, d'après le pèlerin, une peinture que saint Luc lui-même ait faite; il allait l'exécuter et avait même préparé toutes ses couleurs, quand il trouva subitement devant lui le portrait achevé de la main des anges. (Ap. 29.)

C'est ainsi que le voyageur racontait ses souvenirs, et ce petit poème est un raccourci des discours qu'il tenait à ses compatriotes. L'envie de partir à leur tour leur venait aussi, et ceux qui restaient au village s'associaient de cœur à l'œuvre du pèlerin, et aussi de fait en lui donnant un secours. Sur sa route il était traité de même par les personnes pieuses, et c'est grâce à ces coutumes que de pauvres gens pouvaient accomplir des pèlerinages lointains. Les règlements de beaucoup de guilds prévoyaient le cas où un membre de la confrérie partirait ainsi pour remplir un vœu. Afin de prendre part à ses mérites, tous les «frères et sœurs» l'accompagnaient hors de la ville et, lui faisant leurs adieux, lui remettaient quelque argent; ils regardaient leur ami s'éloigner de son pas mesuré, commençant un voyage qui devait se prolonger pendant des mois à travers maint pays, quelquefois pendant des années. On retournait vers la ville, et les plus âgés qui connaissaient le monde disaient sans doute quelles étranges choses leur compagnon verrait sur ces terres lointaines et quels sujets de continuelle édification il rencontrerait sur sa route.

La guild de la Résurrection de Lincoln, fondée en 1374, a pour règle: «Si quelque frère ou sœur désire faire un pèlerinage à Rome, à Saint-Jacques de Galice ou en Terre Sainte, il en avertira la guild, et tous les frères et sœurs l'accompagneront aux portes de la ville et chacun lui donnera un demi-penny au moins.» Même règlement dans la guild des foulons de Lincoln, fondée en 1297; on accompagne le pèlerin qui va à Rome jusqu'à Queen's Cross, hors de la ville, s'il part un dimanche ou un jour de fête; et s'il peut annoncer d'avance son retour et qu'il ait lieu aussi un jour où on ne travaille pas, on se rend à sa rencontre au même endroit et on l'accompagne au monastère. De même aussi les tailleurs donnent un demi-penny à celui d'entre eux qui va à Rome ou à Saint-Jacques, et un penny à celui qui va en Terre Sainte. Les règlements de la guild de la Vierge, fondée à Hull en 1357, portent: «Si quelque frère ou sœur de la guild se propose par aventure de faire un pèlerinage en Terre Sainte, alors, afin que la guild ait part au profit de son pèlerinage, il sera dispensé de toute sa contribution annuelle jusqu'à son retour.» [247]

Il y avait aussi des guilds qui tenaient maison ouverte pour recevoir les pèlerins, toujours dans le même but de s'associer par une bonne œuvre à celle du voyageur. Ainsi la guild marchande de Coventry, fondée en 1340, entretient «un comune herbegerie de tresze lites», pour recevoir les pauvres voyageurs qui traversent le pays allant en pèlerinage ou pour tout autre motif pieux. Cette hôtellerie est dirigée par un homme, assisté par une femme qui lave les pieds des voyageurs et prend soin d'eux. La dépense annuelle pour cette fondation est de 10 livres sterling.

Quand un des serviteurs du roi avait un pèlerinage à faire, le prince, tenant compte du motif, l'autorisait volontiers à partir, et même l'aidait de quelque argent. Édouard III donne à Guillaume Clerk, un de ses messagers, une livre six shillings et huit pence «pour l'aider dans sa dépense durant le pèlerinage qu'il entreprend à Jérusalem et au mont Sinaï [248]».

Cependant, ainsi qu'on l'a pu voir, le quatorzième siècle n'est pas un âge de dévotion sérieuse et réelle. Les papes habitent Avignon; leur prestige décline et, en Angleterre en particulier, les prélats mêmes montrent parfois bien peu de respect pour la cour romaine. On ne trouvera nulle part, même chez Wyclif, des accusations plus violentes ni des anecdotes plus scandaleuses que dans la chronique rédigée par l'abbé Thomas de Burton [249]. Sa façon de parler des indulgences est aussi très libre. Par faveur spéciale pour les fidèles qui mouraient pendant un pèlerinage à Rome, Clément VI «ordonna aux anges du paradis, écrit l'abbé, d'amener leurs âmes droit aux portes du ciel, sans les faire passer par le purgatoire [250]». Le même pape accorda, ce que le pèlerin de tout à l'heure semble avoir ignoré, à ceux qui verraient le saint suaire de revenir à leur état d'avant le baptême. Enfin «il confirma toutes les indulgences accordées par deux cents souverains pontifes ses prédécesseurs, et elles sont innombrables».

A l'époque où les chroniqueurs monastiques inscrivaient sans scrupule dans leurs livres des anecdotes sur la cour romaine semblables à celles de Thomas de Burton, la dévotion générale n'était pas seulement amoindrie, elle était désorganisée, affolée. Les chroniques montrent en effet que les excès d'impiété se heurtaient aux excès de ferveur, et c'est ainsi par exemple que le faux pardonneur, marchand au détail des mérites des saints, rencontrait sur la grand'route le flagellant ensanglanté [251]. La papauté a beau montrer un grand bon sens par les condamnations qu'elle lance contre les uns et contre les autres [252], ses arrêts ne suffisent pas à rétablir l'équilibre des esprits, et les limites de la raison continuent à être perpétuellement dépassées; dans la piété ardente, comme dans la révolte impie, on va jusqu'à la folie. On a peine à lire le récit des sacrilèges obscènes commis dans la cathédrale d'York par des partisans de l'évêque de Durham, et cependant les faits sont réels et c'est l'archevêque lui-même qui les rapporte [253]. La foi disparaît ou se transforme; on devient à la fois sceptique et intolérant: il ne s'agit pas du scepticisme moderne d'une sérénité froide et inébranlable; c'est un mouvement violent de tout l'être, qui se sent pris d'envie de brûler ce qu'il adore; mais l'homme est incertain dans son doute, et son éclat de rire l'étourdit; il a passé comme par une orgie et, quand viendra la lumière blanche du matin, il y aura pour lui des accès de désespoir, un déchirement profond avec des larmes et peut-être un vœu de pèlerinage et une conversion éclatante. Walsingham voit une des causes de la révolte des paysans dans l'incrédulité des barons: «Quelques-uns d'entre eux croyaient, dit-on, qu'il n'y a pas de Dieu, niaient le sacrement de l'autel et la résurrection après la mort, et pensaient que telle la fin de la bête de somme, telle la fin de l'homme lui-même [254].»

Mais cette incrédulité n'était pas définitive et n'empêchait pas les pratiques superstitieuses. On ne savait pas aller *droite voie*: au lieu de s'ouvrir la porte du ciel de ses propres mains, on imagine de se la faire ouvrir de la main des autres; de même qu'on fait labourer ses terres par ses tenanciers, on se fait gagner le paradis par le monastère voisin; les biens éternels sont tombés dans le commerce avec les lettres de fraternité des frères mendiants et les indulgences menteuses des pardonneurs. On vit à son aise et on se tranquillise en inscrivant des donations pieuses dans son testament, comme si on pouvait, selon les paroles d'un de nos compatriotes du temps de la Renaissance, «corrumpre et gaigner par dons Dieu et les sainctz, que nous devons placquer par bonnes œuvres et par amendement de noz pechez [255]». C'est une lecture très instructive que celle des actes de dernière volonté des riches seigneurs du quatorzième siècle. Les legs pour des motifs de dévotion remplissent des pages; on donne à toutes les châsses, à tous les couvents, à toutes les chapelles, à tous les ermites; et on parvient, en payant, à faire des pèlerinages après sa mort, par procuration. Ce même Humphrey de Bohun, qui envoyait «un bon home et loial» à la tombe de Thomas de Lancastre, ordonne aussi qu'après son décès on fasse partir un prêtre pour Jérusalem, «principalement, dit-il, pur ma dame ma miere, et pur mon seignour mon piere... et pur nous,» avec obligation de dire des messes, pendant son voyage, à toutes les chapelles où il pourra [256].

Quant à la croisade, on en parlait toujours et même plus que jamais, seulement on ne la faisait pas. Au milieu de leurs guerres, les rois se reprochaient l'un à l'autre d'être le seul empêchement au départ des chrétiens; toujours il y avait un incident utile qui les retenait. Philippe de Valois et Édouard III protestent que sans leur adversaire ils iraient combattre le Sarrasin. C'est par la faute de l'Anglais, écrit Philippe, que «a esté empêché le saint voyage d'oultre mer [257]»; c'est le fait du roi de France, déclare de son côté Édouard III dans un manifeste solennel, qui l'a détourné du «sancto passagio transmarino [258]». Sans doute le temps de saint Louis n'est pas si éloigné qu'on ait pu déjà perdre le sens de ce grand devoir, la guerre contre l'infidèle, et l'on pense toujours que, si c'est quelque chose de se mettre en route pour Saint-Jacques ou Notre-Dame, le vrai chemin du ciel est celui de Jérusalem. Et cependant, sur ce point encore, nous voyons se faire jour quelques-unes de ces idées qui semblent inspirées par les vues pratiques de l'âge moderne et qui, au quatorzième siècle, ne sont pas rares. Nous écrasons l'infidèle; pourquoi ne pas le convertir? N'est-ce pas plus sage, plus raisonnable et même plus conforme à la religion du Christ? Les apôtres qu'il nous a envoyés, à nous Gentils, étaient-ils couverts d'armures et pourvus d'épées? Des réflexions pareilles n'étaient pas seulement faites par des réformateurs comme Wyclif et Langland [259], mais par des gens d'un esprit habituellement calme et d'une grande piété comme Gower:

«Ils nous prêchent de combattre et de massacrer—ceux qu'ils devraient, selon l'Évangile,—convertir à la foi du Christ.—Mais je m'émerveille grandement—de ce qu'ils me prêchent le voyage:—si je tue un Sarrasin,—je tue son âme avec son corps.—et ce n'est pas ce que le Christ a jamais voulu [260].»

Seulement on trouve convenable de parler croisades, et quelques-uns comptent encore qu'on en fera. Ainsi Élisabeth de Burgh, lady Clare, désire que cinq hommes d'armes se battent en son nom au cas où, dans les sept ans qui suivront sa mort [261], il y aurait «comune viage». Le mérite de leurs travaux lui sera appliqué et ils recevront cent marcs chacun. Mais le commun voyage restait toujours en projet, et les seules expéditions mises sur pied étaient des entreprises particulières. Dans ce cas l'enthousiasme religieux n'était pas le seul mobile; les instincts chevaleresques et remuants qui remplissent ce siècle de combats faisaient la moitié de la dévotion qui poussait ces petites troupes à partir. Il en venait bon nombre d'Angleterre; les Anglais, déjà à cette époque et même auparavant, étaient comme aujourd'hui de grands voyageurs. On les rencontrait partout et, comme aujourd'hui encore, leur connaissance du français leur servait un peu dans tous les pays sur le continent. C'était, comme nous le rappelle Mandeville, la langue de la haute classe [262]; c'était aussi celle que parlait en Orient l'Européen, le *Franc*. Trevisa, en constatant que les Anglais oublient cette langue, le déplore [263]: comment feront-ils s'ils vont à l'étranger? «That is harme for hem and they schulle passe the see and trauaille in straunge landes and in many other places.» Cependant, si les Anglais ne savaient plus couramment le français, ils se rendaient compte de l'utilité de notre langue et ils tâchaient d'en acquérir quelques notions avant de se mettre en route. Ils se faisaient composer, par des gens compétents, des manuels de conversation, pour apprendre «à parler, bien soner, et à droit escrire doulz françois, qu'est la plus bel et la plus gracious langage et plus noble parler, après latin d'escole, qui soit ou monde, et de tous gens mieulx prisée et amée que nul autre; quar Dieux le fist si doulce et amiable principalement à l'oneur et loenge de luy-mesmes. Et pour ce il peut bien comparer au parler des angels du ciel, pour la grant doulceur et biaultée d'icel [264].» Les Anglais allaient beaucoup à l'étranger; tous les auteurs qui font leur portrait constatent chez eux des goûts remuants et un grand amour pour les voyages lointains; aussi leur donnent-ils pour planète la lune. D'après Gower, c'est à cause d'elle qu'ils visitent tant de pays éloignés [265]. Wyclif les place sous le patronage du même astre, mais en tire des conséquences différentes [266], et Ranulph Higden, le chroniqueur, s'exprime en ces termes, qui semblent prophétiques, tant ils se sont trouvés exacts: «Cette race anglaise sillonne tous les pays et réussit mieux encore dans les terres lointaines que sur la sienne propre.... C'est pourquoi elle se répand au loin à travers le monde, considérant comme sa patrie tout sol qu'elle habite. C'est une race habile dans les industries de toute espèce.» Il dit aussi que les Anglais de son temps aimaient la table plus qu'aucun autre peuple et dépensaient beaucoup en nourriture et en habits [267]. Mais le point important ici est ce goût des voyages qui était si marqué. Leurs petites troupes à destination de la Terre Sainte allaient saluer au passage le roi chrétien de Chypre et s'aventuraient ensuite dans l'Asie Mineure.

On ne quittait pas l'Angleterre pour une si lointaine expédition sans s'être muni de lettres de son souverain, qui pouvaient vous servir de passeport et de recommandation au besoin. La teneur de ces pièces était à peu près pareille à celle de la lettre suivante, accordée par Édouard III en 1354: «.... Sachez tous que le noble Jean Meyngre, chevalier, dit Bussigaud [268], notre prisonnier, doit se rendre avec douze chevaliers à Saint-Jacques et de là marcher contre les ennemis du Christ en Terre Sainte, et qu'il part avec notre agrément; que pour cela nous l'avons pris, lui et ses douze compagnons, leurs domestiques, chevaux, etc., sous notre protection et sauf-conduit [269].» On était bien reçu du roi de Chypre et on l'aidait dans ses difficultés qui étaient nombreuses. Le roi se montrait charmé de ces visites et exprimait quelquefois son plaisir dans des lettres où perce une joie très vive. Il écrivait ainsi de Nicosie, en 1393, à Richard II, et lui disait qu'un chevalier n'a pas besoin de recommandation personnelle auprès de lui pour être le bienvenu dans l'île: tous les sujets du roi d'Angleterre sont pour lui autant d'amis; il est heureux de la présence d'Henri Percy, qui lui sera très utile [270].

A l'idée du pèlerinage on associait pour une large part celle des aventures qu'on allait avoir sur les lieux et tout du long de la route; au besoin on les faisait naître, et le but religieux disparaissait alors dans la foule des accidents profanes. Ainsi en 1402, de Werchin, sénéchal de Hainaut, publie son projet de pèlerinage à Saint-Jacques d'Espagne et son intention d'accepter le combat à armes courtoises contre tout chevalier qui ne le détournera pas de sa route de plus de vingt lieues. Il indique son itinéraire d'avance, afin qu'étant averti on se prépare [271].

C'est un peu avec des idées semblables qu'était parti pour l'Orient, dans la première moitié du quatorzième siècle, le fameux Jean de Mandeville ou le voyageur, quel que soit son véritable nom qui nous a laissé les récits attribués à ce chevalier [272]. Cet amusant écrivain était allé en Palestine à moitié pour se sanctifier, à moitié pour connaître le monde et ses étrangetés et pouvoir en parler, car beaucoup de gens, dit-il, se plaisent fort à entendre décrire les merveilles de pays divers. S'il publie ses impressions, c'est d'abord parce que foule de personnes aiment les récits de la Terre Sainte et y trouvent grande consolation et confort, et c'est aussi pour faire un *guide*, afin que les petites caravanes dans le genre de la sienne et de celle de Boucicaut profitent de son expérience. Il n'apporte certes pas dans son ouvrage la précision des livres modernes, mais il ne faut pas croire que ses idées sur la route à suivre soient si déraisonnables. Ainsi, «pour aler droite voie» d'Angleterre en Palestine, il conseille l'itinéraire suivant: France, Bourgogne, Lombardie, Venise, Famagouste en Chypre, Jaffa, Jérusalem. Outre le récit d'un voyage en Palestine qu'il semble avoir réellement accompli, il donne la description d'une foule de pays peuplés par des monstres imaginaires. Cette partie fantastique de son ouvrage n'en diminua pas le succès, bien au contraire, mais moins confiants que nos pères nous n'acceptons plus de bonne grâce aujourd'hui le récit de tant de prodiges et nous jugeons même insuffisante pour garantie de la bonne foi de l'auteur l'excuse qu'il nous donne. «Chose de longe temps passé par le vewe tournet en obli et memorie de homme ne poet mie tout tenir et comprehendre [273]».

Beaucoup de livres vinrent après le sien, plus détaillés encore et plus pratiques. Tandis que le renouvellement des croisades paraissait de moins en moins probable, le nombre des pèlerinages individuels allait croissant. La parole du prêtre, qui ne pouvait plus arracher du sol des nations entières, en détachait seulement par places de petits groupes d'hommes pieux ou de coureurs d'aventures qui allaient visiter les lieux saints à la faveur de l'esprit tolérant du Sarrasin. La plupart en effet ne partaient plus pour combattre l'infidèle, mais pour lui demander permission de voir Jérusalem. On trouve, au quinzième siècle, tout un service de transports organisé à Venise à l'usage des pèlerins; il y a des prix faits d'avance; on revend au retour sa couchette et ses matelas [274]; bref, une foule d'usages se sont établis qui montrent la fréquence de l'intercourse. Pour tous ces détails, l'Anglais en partance n'avait qu'à consulter l'excellent manuel de son compatriote William Wey [275], le meilleur qu'il y eût au quinzième siècle dans aucun pays, et le plus pratique.

William Wey a déjà pour le voyageur toutes les attentions auxquelles nous sommes aujourd'hui accoutumés; il compose des mnémotechnies de noms à apprendre [276], un vocabulaire des mots grecs qu'il importe de savoir et il donne à retenir les mêmes questions toutes faites que nos manuels répètent encore dans une langue moins mélangée:

«Good morrow. — *Calomare.*

Welcome. — *Calosertys.*

Tel me the way. — *Dixiximo strata.*

Gyff me that. — *Doys me tutt.*

Woman haue ye goyd wyne? — *Geneca esse calocrasse?*

Howe moche? — *Posso?*»

Il établit aussi un tableau du change des monnaies depuis l'Angleterre jusqu'en Grèce et en Syrie, et un programme de l'emploi du temps, comme aujourd'hui très parcimonieusement ménagé: il ne compte en effet que treize jours pour tout voir et repartir. Enfin il donne une liste complète des villes à traverser, avec la distance de l'une à l'autre, une carte de la Terre Sainte avec l'indication de tous les endroits remarquables [277] et un catalogue considérable des indulgences à gagner.

Wey prévoit tous les désagréments auxquels le mauvais vouloir du patron de la galère peut vous soumettre; il recommande de retenir une place à la partie la plus élevée du bateau: dans le bas on étouffe et l'odeur est insupportable [278]; il ne faut pas payer plus de quarante ducats, de Venise à Jaffa, nourriture comprise; il faut que le patron s'engage à faire relâche dans certains ports pour prendre des vivres frais. Il est tenu de vous donner de la viande chaude à dîner et à souper, du bon vin, de l'eau pure et du biscuit; mais on fera bien, en outre, d'emporter des provisions pour son usage particulier, car même «à la table du patron» on a grand'chance d'avoir du pain et du vin gâtés [279]. Il faut avoir aussi des remèdes, des «laxatyuys», des «restoratyuys», du safran, du poivre, des épices. Quand on arrive à un port, il est bon de sauter à terre des premiers pour être servi avant les autres et n'avoir pas les restes; ce conseil d'égoïsme pratique revient souvent. A terre on devra prendre garde aux fruits, «car ils ne sont pas faits pour votre tempérament et ils donnent un flux de sang, et si un Anglais a cette maladie, c'est merveille qu'il en échappe et n'en meure pas.» Une fois en Palestine, il faut faire attention aux voleurs; si on n'y pense pas, les Sarrasins viennent vous parler familièrement et, à la faveur de la conversation, vous dérobent «vos couteaux et autres menus objets que vous avez sur vous [280]». A Jaffa, il ne faut pas oublier de courir avant tout le monde pour avoir le meilleur âne, «parce qu'on ne paye pas plus pour le meilleur que pour le pire». La caravane se met en marche et alors il est prudent de ne pas trop s'écarter de ses compagnons, crainte des malfaiteurs.

Malgré ce dernier conseil, ce qui résulte le plus clairement du livre est l'esprit de tolérance dont le Sarrasin faisait preuve; il n'interdisait pas l'entrée de la Palestine à tous ces pèlerins qui venaient souvent en espions et en ennemis, et il laissait les troupes agir à leur guise; on voit que les compagnons de William Wey vont en somme où ils veulent, reviennent quand il leur convient et se tracent par avance des plans d'excursions comme on pourrait faire aujourd'hui. Ils trouvent des marchands européens établis et faisant un grand commerce dans les ports des infidèles; ils n'ont à craindre sérieusement que les guerres locales et les mauvaises rencontres en mer. On les voit apprendre avec beaucoup d'inquiétude, au retour, qu'une flotte turque est prête à quitter Constantinople, mais ils ne la rencontrent pas, heureusement.

William Wey fit deux fois ce grand voyage et revint en Angleterre, où il légua à une chapelle construite sur le modèle de l'église du Saint-Sépulcre les souvenirs qu'il avait rapportés, c'est-à-dire une pierre du calvaire, une autre du sépulcre, une du mont Thabor, une du lieu où était la croix, et d'autres reliques.

CONCLUSION

Nous avons suivi la race nomade dans bien des endroits, sur la route, à l'auberge, dans les tavernes, dans les églises; nous l'avons vue exercer une foule de métiers divers et comprendre des spécimens très différents: chanteurs, bouffons, charlatans, pèlerins, prêcheurs errants, mendiants, frères, vagabonds de plusieurs sortes, ouvriers détachés de la glèbe, pardonneurs, chevaliers amis des voyages lointains. Nous les avons accompagnés çà et là sur les grands chemins d'Angleterre et nous les avons suivis même jusqu'à Rome et en Terre Sainte: c'est là que nous les laisserons. A la classe errante appartiennent encore les représentants de beaucoup de professions, tels que les scribes, les colporteurs, les montreurs d'animaux, comme ceux dans la ménagerie desquels entra un jour Villard de Honnecourt pour y dessiner «al vif» un lion. Les seuls vraiment importants sont ceux qui viennent d'être étudiés.

Le courant de vie que représente l'existence de tous ces nomades est puissant; nous avons vu quel grand rôle, peu apparent, ils avaient joué dans l'État. L'ouvrier brise les liens qui depuis des siècles l'attachaient au manoir et veut désormais être maître de sa personne et de ses services, se louer à la journée si bon lui semble et pour un prix qui corresponde au besoin qu'on a de lui. C'est une réforme nécessaire qu'il demande et qui se fait peu à peu, malgré les lois, loin des regards. Il n'en est pas de plus importante, et c'est sur les routes qu'il convient de l'étudier plutôt qu'au château. Il faut en chercher l'origine dans ces taillis où les bandes armées se réunissent pendant les offices et sur ces chemins écartés où le faux pèlerin jette le bâton à devise pour reprendre ses outils et quêter du travail loin de son ancien maître. Ces gens-là prêchent d'exemple l'émancipation que les clercs errants expliquent dans leurs discours, faisant d'elle un besoin immédiat et populaire.

C'est en partie sur la grand'route, en partie par l'influence des nomades que marchent à leur solution les grandes questions du siècle, la question sociale et la question religieuse. Les frères quêteurs vont de porte en porte, les pardonneurs s'enrichissent, les pèlerins vivent d'aumônes et du récit de leurs aventures, toujours en route et toujours à l'œuvre. Quelle est cette œuvre? A force de s'adresser à la foule, ils finiront par se faire connaître d'elle, par se faire juger, par la désabuser eux-mêmes, et les réformes deviendront inévitables. Ainsi, de ce côté encore, tombera la rouille du moyen âge, et un pas de plus sera fait vers la civilisation moderne.

Enfin, chacun de ces types si bizarres, pris à part, a l'utilité de montrer, bien apparent en sa propre personne, un côté caractéristique des goûts, de la croyance et des aspirations du temps. Chacune de leurs classes correspond à un besoin, à un travers ou à un vice national; par eux on peut examiner comme pièce à pièce les âmes du peuple et les reconstituer tout entières, comme on peut deviner à la flore d'un pays la nature du sol.

L'impression générale est que le peuple d'Angleterre subit une de ces transformations considérables qui se présentent au regard de l'historien comme le tournant d'un grand chemin. Au sortir des gorges et des montagnes, la route change subitement de direction, et c'est la plaine riche, ensoleillée, fertile, qu'on aperçoit dans le lointain. Nous n'y sommes pas arrivés, bien des peines nous sont encore réservées; elle disparaîtra de nouveau à nos yeux par moments; mais nous l'avons entrevue, et le résultat de nos efforts, c'est que nous savons du moins dans quelle direction il faut marcher pour l'atteindre. Pendant l'âge qui s'ouvre, le paysan émancipé va s'enrichir malgré les guerres que se feront les seigneurs; et les communes auront entre les mains un instrument de contrôle sur le pouvoir royal, dont elles pourront plus ou moins bien se servir selon les temps, mais qui est le meilleur inventé jusqu'à nos jours: le parlement qui siège à Westminster à l'heure présente est dans ses parties essentielles identique au parlement qui préparait les statuts du royaume sous les derniers princes Plantagenet. Au quatorzième siècle, quoi qu'en aient dit quelques penseurs, trop touchés de la gloire de Simon de Montfort et de saint Louis, l'homme n'est donc pas revenu en arrière. Il n'en faut pas d'autre preuve que la foule de ces idées vraiment modernes qui se répandent dans l'ensemble de la société: parmi la haute classe, sous l'influence d'une éducation plus grande et d'une civilisation plus avancée; parmi la classe inférieure, par l'effet d'une longue expérience des abus communs; idées vulgarisées et rendues pratiques par les nomades: ouvriers ignorants, clercs convaincus. Tous ces écarts de la raison, toutes ces démences de l'esprit religieux, ces révoltes incessantes et ces folies qu'on a pu remarquer détourneront les intelligences de pensées et de sentiments faux et dangereux qui avaient besoin d'être poussés à l'extrême pour devenir insupportables et se faire rejeter [281].

Sur quantité de points semblables, qu'il soit partisan ou objet des réformes, comme ouvrier ou comme pardonneur, qu'il en soit ou non l'instrument inconscient, le nomade aura toujours beaucoup à apprendre à qui voudra l'interroger; il dira peut-être le secret de transformations presque incompréhensibles qui semblaient nécessiter un bouleversement total, comme celui qu'on a vu en France à la fin du dernier siècle, un nouveau ou plutôt un premier *contrat social.* L'Angleterre, pour bien des raisons, n'en a pas eu besoin: une de ces raisons est l'influence des errants qui unirent tout le peuple et lui permirent d'arracher, grâce à cette union qui le rendait fort, les concessions nécessaires en temps utile. Et comme cependant les changements les plus calmes ne vont pas sans un peu de trouble, comme chez nos voisins aussi il y eut, au cours des siècles, plus d'une mêlée sanglante, le nomade finira peut-être en répétant à son interlocuteur un proverbe vulgaire d'une sagesse certaine, mais non banale, qui devrait empêcher bien des désespérances: «Le bois tortu fait le feu droit.»

APPENDICE

(1) PATENTES DE 1201 CONFIANT A UN FRANÇAIS LE SOIN DE TERMINER LE PONT DE LONDRES (*supra*, p. 19).—«Literæ patentes, etc., de edificatione et sustentatione pontis London, A° 3° Johannis.

«Johannes, Dei gratia rex Angliæ etc., dilectis et fidelibus suis majori et civibus London' salutem. Attendentes qualiter circa pontem Xanton' et pontem de Rupella Deus sit operatus per sollicitudinem fidelis clerici nostri Isenberti, magistri scolarum Xanton', viri utique literati et honesti, ipsum de consilio venerabilis patris in Christo H. Archiepiscopi Cantuar' et aliorum, rogavimus et monuimus et etiam coegimus ut pro vestra et multorum utilitate, de ponte vestro faciendo, curam habeat diligentem. Confidimus enim in Domino, quod idem pons tam necessarius vobis et omnibus transeuntibus, ut scitis, per ejusdem industriam, faciente Domino, poterit in proximo consummari. Et ideo volumus et concedimus quod salvo jure nostro et conservata indempnitate civitatis London', census edificiorum quæ super pontem prædictum idem magister scolarum faciet fieri sint imperpetuum ad eundem pontem reficiendum et operiendum et sustentandum. Quia igitur idem pons tam necessarius sine vestro et aliorum auxilio perfici non poterit, mandamus vobis, exhortantes quatinus memoratum Isenbertum et suos pro vestra utilitate pariter et honore sicut decreverit benigne recipiatis et honoretis in hiis quæ dicta sunt, consilium et auxilium vestrum eidem unanimiter impendentes. Quidquid enim boni et honoris eidem Isenberto feceritis, nobis factum reputare debetis. Si quis vero eidem Isenberto vel suis in aliquo foris faciat, quod non credimus, vos illud eisdem faciatis, quam citius ad vos pertinet, emendari. Teste me ipso, apud Molmell, XVIII die Aprilis.»

Hearne, *Liber niger scaccarii*, Londres, 1771, 2 vol. 8°, t. II, p. 470.

(2) OPINION DE LYLY SUR LE PONT DE LONDRES (p. 21).—«Among all the straunge and beautifull showes, mee thinketh there is none so notable as the bridge which crosseth the Theames, which is in manner of a continuall streete, well replenyshed with large and stately houses on both sides, and situate vpon twentie arches, where-of each one is made of excellent free stone squared, euerye one of them being three score foote in height, and full twentie in distaunce one from an other.»

Euphues and his England, editio princeps, 1580, collated with early subsequent editions (réimpression d'Arber, Londres, 1869, 4°, p. 434).

Voir encore le grand dessin colorié se rapportant à l'année 1600 environ, reproduit en fac-similé par M. Furnivall dans la troisième partie de son édition de la description de l'Angleterre par Harrison, et les notes de M. Wheatley *on*

Norden's map of London 1593, insérées dans cette même édition, t. I, p. XCIX, New Shakspere Society, 1877.

(3) PÉTITION RELATIVE À UN VIEUX PONT DE BOIS DONT LES ARCHES ÉTAIENT TROP BASSES ET TROP ÉTROITES POUR LAISSER PASSER LES BATEAUX (p. 22).—«Unto the ryght wise and discrete comons of this present parlement; Besecheth mekely the comons off the countees of York, Lincoln, Notyngham and Derby; That where as ther is, and of longe tyme hath been, an usuall and a commune passage fro dyvers and many parties of the seid countees unto the citees of York, Hull, Hedon, Holdernes, Beverley, Barton and Grymesby, and so forth by the hie see, by the costes, unto London and elles where, with all maner of shippes charged with wolle, leed, stone, timbre, vitaille, fewaille, and many other marchandises, by a streme called the Dike, in the counte of York that daiely ebbith and floweth; over which streem ys made a brigge of tymbre called Turnbrigg, in the parisshe of Snayth in the same counte, so lowe, so ner the streem, so narrowe and so strayte in the archees, that ther is, and of long tyme hath been a right perilous passage, and ofte tymes perishinge of dyvers shippes; and at every tyme of creteyne and abundaunce of water, ther may no shippees under the seid brigge, by the space of half a yere or more, and also a grete partie of the countees to the seid ryver ajonyng, is yerely by the space of XXth myles and more surrownded, by cause of the lowenes and straitenes of the said brigge, to the grete hurt and damage as well to the kyng in his customes and subsidys, that shuld growe to him of the seid marchaundises, chargeable with suche diverse, as to the seid shires, countres, cites and burghes and the inhabitants of theim....

«Please hit unto your right wise discretions, consideryng the premisses to pray and beseche the kyng our soverayn lord to graunte.... that hit shall be lefulle to what sum ever person or persons of the seid shires, that will atte theire owne costages take away the seid brigge, and ther with and profites therof, and in othir wise, newe edifie and bilde anothir brigge there, lengere in lengthe by the quantite of v yerdes called the kynges standard, and in hieght a yerd and a half by the same yerd hiegher then the seid brigge that stondes ther nowe, aswell for passage of all maner shippes comyng therto, and voindaunce of water under the seid brigg as for passage of man, best and cariage, over the seid newe brigge so to be made, with a draght lefe contenyng the space of IIII fete called Paules fete in brede, for the voidyng thorugh of the mastes of the schippes passinge under the seid new brigg; and that every shipmen that wol passe under the seid brigge with their shippes, may laufully lifte up and close the seid lef att their pleser; and that the mayster of every shippe paie for every liftyng of the seid lef 1^{d} to the lord of the soille for the tyme beyng.... For the lofe of Godd and in waye of charite.»

. . . .

«*Responsio.* Le Roy de l'advys et assent de lez seignurs espirituelx et temporalx et les communes esteantz en cest present parlement, ad graunté tout le contenue en icell petition en toutz pointz.»

Rotuli parliamentorum, t. V, p. 43, 20 Henri VI, année 1442.

(4) PÉTITION CONCERNANT LES OFFRANDES FAITES À LA CHAPELLE D'UN PONT (p. 25).—«A nostre seigneur le roi et à soun conseyl, monstre lour povre chapeleyn Robert le Fenere, parsone de l'esglise de Seint Clément de Huntendon de l'évesché de Nichole (Lincoln) q'il i a une petite chapele de novel édefié en sa paroche suz le pount de Huntendon, de quele chapele nostre seigneur le roi ad granté et bayllé la garde tan ke ly plest à un sir Adam, gardeyn de la meson Seint Johan de Huntendon, qy prente et enporte totes manere offrendres et aumoignes, et rien ne met en amendement del pont ne de la chapele avant dite, come il est tenu. D'autre parte, il semble prejudiciall à Dieu et Seynt Église qe offrendre soit approprié à nuly sinon à la parsone deynz qy paroche la chapele est fundu. Par quey le dite Robert prie, pur Dieu et Seint Église et pur les almes le père à nostre seigneur le roy et ces auncestres, k'yl puisse aver la garde de la dite chapele annexe à son église, ensemblement ove la charge de pount, et yl mettra de soen ove tote sa payne de bien meyntener les, à meylour volunté qe nul estraunge, à profit et honour de Seinte Église, pur Dieu plere et totez gentz illoks passauntz.

«*Resp.* Non est peticio parliamenti.»

Rotuli parliamentorum, t. II, p. 88, année 1334.

(5) LE PONT DE LONDRES ET SON ENTRETIEN (p. 28).—Voir dans le *Liber niger scaccarii*, édition Hearne, Londres, 1771, 2 vol. 8°, t. I, p. 470* et s., une série de curieuses patentes se rapportant au pont de Londres: p. 471, patente de Jean consacrant à l'entretien du pont l'impôt que payent les marchands étrangers établis à Londres;—patente d'Henri III adressée «aux frères et chapelains de la chapelle de Saint-Thomas sur le pont de Londres et aux autres personnes *habitant sur le même pont*», pour leur faire connaître que le couvent de l'hôpital Sainte-Catherine près la Tour percevra les revenus et se chargera des réparations du pont;—p. 472, concession des mêmes charges et revenus à la reine;—patente d'Édouard Ier (janvier 1281) prescrivant une quête générale par tout le royaume pour parer au mauvais état de l'édifice;—patente du même roi (4 février 1282) ordonnant la perception d'une taxe extraordinaire à cause de la catastrophe qui est survenue: «Rex majori suo London' salutem. Propter subitam ruinam pontis London' vobis mandamus quod associatis vobis duobus vel tribus de discretioribus et legalioribus civibus civitatis prædictæ, capiatis usque ad parliamentum nostrum post Pasch' prox' futur', in subsidium reparationis pontis predicti, consuetudinem subscriptam, videlicet, de quolibet homine transeunte aquam Thamisiæ ex transverso ex utraque parte pontis London' occasione defectus reparationis

pontis predicti unum quadrantem, de quolibet equo sic transeunte ibidem unum denarium, de quolibet summagio sic ibidem transeunte unum obolum. Set volumus quod aliquid ibidem hac occasione interim capiatur nisi in subsidium reparationis pontis supra dicti. In cujus, etc. Teste rege apud Cirencestr', iiij° die Februarij.»

La même année le roi prolonge pour trois ans le terme pendant lequel cette taxe exceptionnelle sera levée. Enfin, la trente-quatrième année de son règne, Édouard Ier établit un tarif très détaillé des droits que payeront à l'avenir toutes les marchandises, les voyageurs, les bestiaux, etc., passant sur ou sous le pont (p. 478). Quant à la «ruine subite» qui avait été la cause de l'établissement de toutes ces taxes, Stow la raconte ainsi:

«King Edward kept his feast of christmas (1281) at Worcester. From this christmas till the purification of Our Lady, there was such a frost and snow, as no man liuing could remember the like, wherethrough, fiue arches of London bridge, and all Rochester bridge were borne downe, and carried away with the streame, and the like hapned to many bridges in England.»

Annales or a generall chronicle of England, Londres, 1631, fol., p. 201.

(6) ENQUÊTES RELATIVES A L'ENTRETIEN DES PONTS (p. 31).— On trouve en grand nombre des exemples de ces enquêtes dans le recueil publié par la «Record commission», *Placitorum in domo capitulari Westmonasteriensi asservatorum abbreviatio* (Londres, 1811 fol.):

Cas d'un abbé obligé explicitement, en raison des conditions de sa tenure, de réparer un pont, p. 205 (11-12 Éd. I).

Convention entre deux abbés pour la construction de plusieurs ponts, p. 205 (12 Éd. I).

Discussion relative à la construction d'un pont à Chester, p. 207(13 Éd. I).

Refus par l'abbé de Coggeshale de réparer un pont: «Per juratores, Abbas de Coggeshale non tenetur reparare pontem de Stratford inter Branketre et Coggeshale, eo quod de tempore memorie, non fuit ibidem alius pons quam quedam planchea de borde super quam omnes transeuntes salvo et secure transire potuerunt,» p. 303 (1 Éd. II).

«Distringantur villate de Aswardeby et Skredington ad reparandum pontes in pupplica strata inter Lafford et ecclesiam de Stowe, juxta inquisicionem inde captam anno LVI Henrici iij coram Gilberto de Preston et sociis suis in comitatu Lincolniensi itinerantibus, per breve ejusdem regis,» p. 305 (2 Éd. II).

Détermination de la personne qui doit réparer le pont de Chesford, p. 314 (6 Éd. II).

Refus de l'abbé «de Fontibus» de réparer le pont de Bradeley, p. 318 (7 Éd. II).

Affaire de Hamo de Morston, p. 328 (11 Éd. II).

Réparation des ponts de Exhorne, Hedecrone et Hekinby dans le comté de Kent, p. 339 (15 Éd. II).

Enquête sur le pont de Claypole. Il est reconnu que les habitants de Claypole sont tenus de le réparer: «Ideo preceptum est vicecomiti Lincolniensi quod distringat homines predicte ville de Claypole ad reparandum et sustentandum pontem predictum in forma predicta,» p. 350(18 Éd. II), etc.

(7) L'ENTRETIEN DES ROUTES (p. 31).—Pour les routes comme pour les ponts, on trouve assez fréquemment des requêtes de particuliers qui demandent à percevoir une taxe sur les passants, à charge de réparer le chemin. Ex.: «Walter Godelak de Walinford pet' aliquam consuetudinem dari de qualibet carecta de marcandisis transeun' per viam inter Jowemersh et Newenham, propter profunditatem et emendationem ejusdem vie.»

«*Resp.* Rex nil inde faciet.»

Rotuli parliamentorum, t. I, p. 18 (18 Éd. I).

Une dame s'arroge le droit de lever une taxe sur les passants: «A nostre seigneur le roi.... montre la communalté des gentz du countée de Notyngham passauntz entre Kelm et Newur, qe par la où le haut chimyn ledit nostre seignur le roi soleit estre entre lesdites deuz villes, à touz gentz fraunchement à passer, à chival, à charettes, et à pée, de temps dont il n'ad memore, la dame de Egrum ad accroché à lui ledit chimyn en severalté, pernauntz des gentz illoeqes passauntz grevous raunçouns et exacciouns; en desheritaunce du roy et de sa corone et à graunt damage du poeple.»

Le roi ordonne une enquête (18 Éd. II). *Rotuli*, t. I, p. 424.

Quelquefois les shériffs, dans leurs tournées, décidaient la levée de taxes sur ceux qui ne réparaient pas les routes; la loi, comme on a vu, le leur permettait; mais les gens mis à l'amende protestaient devant le parlement sous prétexte que les chemins et les ponts étaient *assez suffisants*: «Item supliont humblement les communes de vostre roiaume, si bien espirituelx come temporelx et soy compleynont qe plusours visconts de vostre dit roialme feynont et procuront présentements en lour turnes qe diverses chimyns, pontes et caucés sont defectives pur non-reparation, au purpos et entent d'amercier abbés, priours et séculers, aucun foitz à dys liveres, aucun foitz à pluis, aucun foitz au meyns; et les ditz amerciaments levont par lour ministres appelez Outryders, saunz délaye ou ascun responce des parties, là où les dites chimyns, pontes et caucées sont assetz sufficiantz, ou par aventure nient en charge des ditz amerciez....

«*Resp.* Soit la commune leye tenuz et les amerciamentz resonables en ce cas.»

Rotuli, 7-8 II. IV, t. III, p. 598.

(8) LES ROUTES ET LES PONTS DES ENVIRONS DES GRANDES VILLES (p. 36).—Les environs de Paris vers le même temps présentaient des routes et des ponts tout aussi mal entretenus que ceux du voisinage de Londres. Charles VI, dans une de ses ordonnances, constate que les haies et les ronces ont envahi beaucoup de chemins, qu'il en est même au milieu desquels des arbres ont poussé:

«.... Dehors ladicte ville de Paris, en plusieurs lieux de la banlieue, prévosté et vicomté d'icelle, a plusieurs chauciées, pons, passages et chemins notables et anciens, lesquelz sont moult empiriez, dommagiez ou affondrez et autrement empeschiez, par ravines d'eaues, par grosses pierres, par haies, ronces et autres plusieurs arbres qui y sont creuz et par plusieurs autres empeschemens qui y sont advenuz, parce qu'il n'ont point esté soustenuz et que l'en n'y a point pourveu ou temps passé, et sont en si mauvais estat que l'en n'y peut passer seurement à pié, à cheval ne à charroy sans grans périlz ou inconvéniens; et les aucuns d'iceulx sont délessiez de tous poins parce que l'en n'y peut converser....» Ordre au prévot de Paris de faire faire les réparations par tous ceux à qui il appartient, et au besoin d'y contraindre par force «tous» les habitants des villes du voisinage des ponts ou chaussées. (Ordonnance du 1er mars 1388. Recueil d'Isambert, t. VI, p. 665.)

(9) VOYAGES DU ROI.—PÉTITIONS ET STATUTS CONCERNANT LES POURVOYEURS ROYAUX (p. 42).—«Nullus vicecomes vel ballivus noster vel aliquis alius capiat equos vel carettas alicujus pro carriagio faciendo, nisi reddat liberacionem antiquitus statutam; scilicet pro una caretta ad duos equos decem denarios per diem, et pro caretta ad tres equos quatuordecim denarios per diem.» Grande charte d'Édouard Ier, 1297; *Statutes of the realm*, Londres, 1810, fol.; 25 Éd. II, ch. XXI.

«Item pur ceo qe le poeple ad esté moult grevé de ceo qe les bledz, feyns, bestaill, et autre manere de vitailles et biens des gentz de mesme le poeple, ont esté pris, einz ces houres... dont nul paiement ad esté fait...,» etc. (Considérants du statut 4 Éd. III, ch. III.—*Statutes of the realm*, année 1330.) Voir encore le statut 36 Éd. III, ch. II.

Pétition des communes, 25 Éd. III, 1351-52 (*Rotuli parliamentorum*, t. II, p. 242): «Item prie la commune qe là où avant ces heures les botillers nostre seigneur le roi et lour deputez soleient prendre moult plus de vyns à l'oeps le roi qe mestier ne fust; desqueux ils mettont les plus febles à l'oeps le roi et les meliours à lour celers demesnes à vendre, et le remenant relessont à eux desqueux ils les pristrent, pur grantz fyns à eux faire pur chescun tonel, à grant damage et empoverissement des marchantz....»

Les habitants des comtés de Dorset et de Somerset se plaignaient de même de ce que le shériff de ces comtés leur avait pris «cynk centz quarters de furment et trois centz bacouns, à l'oeps le roi, come il dist, et il ne voillast pur sa graunt meistrie et seigneurie allower pur vintz quarters fors qe dis deniers, là où il vendist après pur XV deniers. Par quey vos liges gentz sount grauntement endamagé et vous, chier seigneur, n'estes servy des blées et des bacounes avauntditz....» (4 Éd. III, *Rotuli parliamentorum*, t. II, p. 40.)

Pétition des communes au Bon Parlement de 1376: «Item prie la commune qe come le roi de temps passé et ses progenitours, nobles princes, soleient avoir lour cariage, c'est assaver chivalx, charietz et charettes pur servir leur hostiel: et ore les purveours de l'hostel nostre dit seigneur le roi pur défaut de sa propre cariage et de bone governance prenont chivalx, charietz et charettes des povres communes, la environ par X leukes où le roi tient son hostel, si bien des gentz de loigne pays par XXIIII leukes ou LX passantz par la chymyne come des gentz demurrantz en mesme le pays, en grande arrerissement et poverisement des dites communes....» (*Rotuli parliamentorum*, t. II, p. 351).

Plainte du clergé d'être soumis lui-même aux exactions des pourvoyeurs (1376): «Item provisores et ministri regis pro provisionibus regiis faciendis feodum et loca ecclesiastica, invitis viris ecclesiasticis seu eorum custodibus non intrent, nec animalia aliaque res et bona inde auferant, prout fecerint et faciunt nunc indies, contra ecclesiasticam libertatem et constitutiones sanctorum patrum et statuta regni edita in hac parte. Nec in via extra feoda et loca predicta predictorum virorum cariagium carectave capiant vel arrestent.»

«*Resp.* Le roi le voet.» (*Rotuli parliamentorum*, t. II, p. 358).

Les mêmes abus existaient en France et on peut lire dans le recueil d'Isambert de nombreuses ordonnances conçues exactement dans le même esprit et répondant aux mêmes plaintes: ordonnances de Philippe le Bel en 1308, de Louis X en 1342, de Philippe VI qui veut que «preneurs pour nous» ne puissent prendre que s'ils ont «lettres nouvelles de nous», ce qui suppose l'existence de faux pourvoyeurs comme en Angleterre. Jean renouvelle toutes les restrictions de ses prédécesseurs, 25 décembre 1355.

(10) LES TOURNÉES DES MAGISTRATS ET FONCTIONNAIRES ROYAUX (p. 51).—.... «Nec liceat alicui vicecomiti vel ballivo tenere turnum suum per hundred' nisi bis per annum.» (*Fleta*, liv. II, ch. LII.) Le peuple redoutait beaucoup les abus qui pouvaient se produire sur ce point: Pétition des communes au Bon Parlement de 1376: «Item où de ancien temps ad esté custume qe les presentours dussent présenter les articles du lete et de vewe de frank plegg tan soulement deux foitz par an, les baillifs avaunt ditz fount les povres gentz et les husbandes de pais, qeux dussent travailer en leur

labours et leur husbandriez et pur le commune profit, venir de trois semaignes en trois à lour wapentachez et hundredez, par colour de presentement avoir, et rettent leur labours et leur husbanderiez au terre, sinoun q'ils leur veullent doner tiels ransons et fyns q'ils ne purront sustener ne endurer....

«*Resp.* Il y ad estatutz suffisamment.»

D'autres fois, les communes font observer que les visites du juge errant sont, pour les habitants, une cause de trouble et de dépense tout à fait insupportable en temps de guerre; le roi supprime pour la durée de la guerre les tournées des magistrats, sauf dans le cas où il se produirait quelque incident «horrible»:

«Item, priont les comunes au roi leur seigneur q'il ne grante en nulle partie du roialme eire ne trailbaston durante la guerre, par queux les communes purront estre troblez ne empoverés, fors qe en horrible cas.

«*Resp.* Le roi le voet.»

Rotuli parliamentorum, t. II, p. 305, 45 Éd. III, 1371.

(11) LES VÊTEMENTS DU MOINE MONDAIN (p. 54).—D'après Chaucer:

I saugh his sleves purfiled atte hond

With grys, and that the fynest of a lond

And for to festne his hood undur his chyn

He hadde of gold y-wrought a curious pyn:

A love-knotte in the gretter ende ther was.

(Prologue des *Canterbury tales.*)

D'après le concile de Londres (1342):

«....Militari potius quam clericali habitu induti superiori, scilicet brevi seu stricto, notabiliter tamen et excessive latis, vel longis manicis, cubitos non tegentibus (tangentibus dans Labbe) sed pendulis, *crinibus cum* (2 mots qui ne figurent pas dans L.) furrura vel sendalo revolutis, et ut vulgariter dicitur, reversatis, ac caputiis cum tipettis miræ longitudinis, barbisque prolixis incedere, et suis digitis annulos indifferenter portare publice, ac zonis stipatis pretiosis miræ magnitudinis supercingi, et bursis cum imaginibus variis sculptis, amellatis (annelatis, L.) et deauratis, et ad ipsas patenter cum cultellis, ad modum gladiorum pendentibus, caligis etiam rubeis, scaccatis et viridibus, sotularibusque rostratis et incisis multimode, ac croperiis (propriis, L.) ad sellas, cornibus ad colla pendentibus, epitogiis *ac clochis* (2 mots supprimés, L.) furratis, uti patenter ad oram, contra sanctiones canonicas temere non verentur, adeo quod a laicis vix aut nulla patet distinctio clericorum...» Wilkins, *Concilia Magnæ Britanniæ*, Londres, 1737, 2 vol, fol. t. II, p. 703 (Labbe, *Sacrosancta concilia*, année 1342).

D'après le concile d'York (1367):

«Nonnulli... vestes publice deferre præsumpserunt deformiter decurtatas, medium tibiarum suarum seu genua, nullatenus attingentes... ad jactantiam et suorum corporum ostentationem...» (Labbe, *ibid.*, t. XXVI, col. 467-8.)

(12) REFUS PAR UN SHÉRIFF DE LONDRES DE LOGER CHEZ LUI DES GENS DE LA MAISON DU ROI (p. 60).—«Placita aulæ domini regis apud Turrim Londiniarum, coram T. le Blunt, senescallo et marescallo hospitii domini regis.... anno regis Edwardi, filii regis Edwardi, decimo nono.—Johannes de Caustone, unus vicecomitum Londoniarum, attachiatus fuit ad respondendum domino regi de contemptu infra virgam, etc., sicut Alanus de Lek, serviens hospitator hospitii ejusdem domini regis, qui pro eo sequitur, dicit.

«Et unde idem Alanus, qui sequitur, etc., dicit quod cum idem dominus rex, cum familia sua, apud Turrim Londoniarum, die lunæ proxima post festum translationis Sancti Thomæ martyris, anno regni ejusdem regis nunc decimo nono, ibidem pro voluntate sua perhendinare venisset, ac idem Alanus eisdem die et anno quemdam Ricardum de Ayremynne, secretarium ejusdem domini regis, ad domum prædicti Iohannis de Caustone, in civitate Londoniarum apud Billyngesgate situatam, prout officio suo incubuit hospitasset, et, ad cognitionem liberationis ejusmodi signum consuetum cum calce super portas domus predictæ, prout moris est, fecisset, nec non homines et servientes cum equis et, hernesiis ipsius Ricardi infra liberationem prædictam posuisset; præfatus vicecomes, die et anno supra dictis, in præsentia domini regis et infra virgam etc., ipsam Alani liberationem hujusmodi fieri non permisit, signum quia prædictum malitiose deposuit, necnon homines et servientes prædictos omnino inde fugavit, in contemptum domini regis M. librarum; et hoc paratus est verificare pro domino regi.

«Et Johannes de Caustone venit et defendit vim et injuriam quando, etc..., et dicit quod in nullo est inde culpabilis et de hoc ponit se super patriam.

«Et super hoc major et cives Londonarium veniunt et dicunt quod in charta domini Henrici regis avi domini regis nunc, nuper civibus Londoniarum de diversis libertatibus facta, continetur quod infra muros civitatis, necque in la Portsokne, nemo capiat hospitium per vim vel per liberationem marescalli; quam quidem chartam dominus rex nunc... confirmavit....

«Et proferunt breve domini regis senescallo et marescallo hic directum, per quod dominus rex eis mandavit quod cives prædictos libertatibus suis prædictis et earum qualibet, coram eis absque impedimento uti et gaudere permittant, juxta tenorem chartæ confirmationis.... Et dicunt quod virtute concessionis prædictæ, hujusmodi liberationes hospitorum ad quemlibet adventum domini regis in civitate prædicta, fieri solebant per majorem, vicecomites et ministros civitatis prædictæ, in præsentia marescalli hospitii prædicti, et non per alios, sicut antiquitus fieri consuevit, et quod libertate illa usque jam uno anno elapso quod dictus Alanus de Leek impedivit eos, semper a tempore concessionis chartæ prædictæ, usi fuerunt; unde petunt libertatem suam prædictam eis allocari, etc.

«Dies datus est eis de audiendo judicio suo ad præfatum diem, etc.. Et interim loquendum est cum rege, etc. Ad quem diem tam prædictus Alanus qui sequitur, etc., quam prædictus Johannes in nullo est culpabilis de contemptu prædicto, sicut ei imponitur... Et quia testificatum est coram domino regi et ejus consilio per Johannem de Westone, nuper marescallum hospitii prædicti, etc., et non per alios; consideratum est quod prædicti major et cives hujusmodi libertate liberationis hospitorum infra civitatem prædictam faciendæ de cætero utantur.... Salvo jure regis, etc.»

Liber albus, éd. Riley, p. 303.

(13) EXACTIONS DE CERTAINS GRANDS SEIGNEURS EN VOYAGE (p. 62).—Pétition des communes au parlement (*Rotuli*, t. I, p. 290, 8 Éd. II, A. D. 1314):

«Item par là où asquns grantz seignurs de la terre passent parmi le pays, ils entrent en maners et lieus de Seint Eglise et des autres, et pernent saunz congé le seignur et les baillifs gardeyns de meisme les leus, et encontre lour volunté, ceo q'il voillent saunz rien paer, encontre la lei et les ordenaunces, non pas eaunz regard à l'escomenge (excommunication) doné encontre tutz tels. Et si homme les devi rien, debrisent les eus par force, et pernent et enportent ceo qe beal lour est, et batent les ministres et destruent les biens, plus qe il ne covendreit, et autres grevouses depiz ultrages fount.

«Item il prenent charettes et chivaux de fair lour cariages à lour voluntez saunz rien paer et des queux nientefoitz james n'est faite restoraunce à ceux qi les devient; ne il n'osent suire ne pleindre pur le poair de diz seignur qar s'il le facent ils sont honiz ou en corps ou en chateux; par quoi ladite comuneauté prie qe remedie soit fait en tels ultrages.»

(14) PASSAGE DE L'HUMBER EN BAC (p. 68).—Pétition des habitants d'East Riding: «.... Ad petitionem hominum de Estriding petenc' remedium super nimia solucione exacta ad passagium de Humbr' ultra solitum modum,» le roi prescrit l'ouverture d'une enquête avec pouvoir aux commissaires de

rétablir les choses dans l'état primitif (*Rotuli parliamentorum*, 35 Éd. I, année 1306, t. I, p. 202).

Nouvelle pétition sous Édouard II (8 Éd. II, 1314-5, t. I, p. 291): «A nostre seigneur le roi et à son consail se pleint la comunauté de sa terre qe par là où homme soleit passer Humbre entre Hesel et Barton, homme à chival pour dener, homme à pée pur une maele, qe ore sunt il, par extorsion, mis à duble; et de ceo priunt remedi pur Dieu.» Le roi en réponse ordonne que les maîtres du passage ne prennent pas plus qu'autrefois, «vel quod significent causam quare id facere noluerint».

(15) LES AUBERGES ET LES CABARETS DE GRANDS CHEMINS (pp. 66 et 73).—Édouard III eut plusieurs fois occasion dans ses statuts d'enjoindre aux «hostelers et herbergers», c'est-à-dire aux aubergistes, de vendre leurs provisions à des prix raisonnables. Ex. statuts 23 Éd. III, ch. VI, et 27 Éd. III, st. I, ch. III. Dans ce dernier statut, le roi prend des mesures pour parer aux «grantz et ontraieouses chiertées des vitailles qe les hostelers des herbergeries et autres regratours de vitailles fount par tout le roialme, à grant damage du poeple qi passe parmie le roialme». *Statutes of the realm*, t. I, p. 330, année 1353.

Portrait de la tavernière par Skelton:

Her nose somdele hoked

And camously croked

Neuer stoppynge,

But euer droppynge,

Her skynne lose and slacke

Grained like a sacke;

With a croked backe.

. . . .

She breweth noppy ale,

And maketh therof port sale

To trauellars, to tynkers,

To sweters, to swynkers,

And all good ale drinkers.

Comment on vient la trouver:

Some go streyght thyder,

Be it salty or slyder

They holde the hye waye,

They care no what men say,

Be that as be may;

Some lothe to be espyde,

Start in at the backe syde,

Ouer the hedge and pale,

And all for the good ale.

Comment on la paye:

Instede of coyne and monny,

Some brynge her a conny,

And some a pot with honny,

Some a salt, and some a spone.

Some their hose, some theyr shone.

Quant aux femmes, l'une apporte:

......her weddynge rynge,

To pay for her scot

As cometh to her lot.

Som bryngeth her husbandes hood,

Because the ale is good.

Elynour Rummynge.—The poetical works of John Skelton, édition Dyce, Londres, 1843, 2 vol. 8°, t. I, p. 95.

(16) LE DROIT D'ASILE (p. 89).—L'Église maintient ce droit. Châtiment d'un Anglais pour avoir violé l'asile de l'église des carmes de Newcastle: «.... videlicet quod diebus Lunæ, Martis et Mercurii in hebdomada festi Pentecostes proxime futuri, ad valvas dictæ ecclesiæ Beati Nicolai, discalceatus, nudato capite, et roba linea solum indutus, astante ibidem populi

multitudine, fustigationes a vobis publice recipiat, causam suæ pœnitentiæ exprimens in vulgari, suum pariter in hac parte confitendo reatum; et quod hujusmodi fustigationibus sic receptis ibidem, ad ecclesiam cathedralem Dunelmensem, discalceatus, nudato capite, et vestitus ut præmittitur idem Nicholaus vos, eum subsequentes, antecedat, ad fores dictæ ecclesiæ cathedralis, dictis tribus diebus consimiles fustigationes a vobis recepturus, cum expressione culpæ supradicta.» *Rigistrum palatinum Dunelmense*, éd. de Sir Th. D. Hardy, Londres, 1873, 4 vol. 8°, t. I, p. 315, année 1313.

Sur cette question les conciles étaient formels: «Firmiter inhibemus ne quis fugientes ad ecclesiam, quos ecclesia debet tueri inde violenter abstrahat, aut ipsos circa ecclesiam obsideat, vel abstrahat victualia.» *Concilium provinciale scoticanum*, A. D. 1225, dans Wilkins, *Concilia Magnæ Britanniæ et Hiberniæ*, Londres 1737, 4 vol. fol., t. I, p. 616.

Il fallait avoir bien soin de se réfugier dans une véritable église, dûment consacrée; c'est ce que montrent les procès-verbaux consignés dans les *Year-Books*. Voici un cas du temps d'Édouard Ier (éd. Horwood, p. 541, Collection du Maître des rôles): «Quidam captus fuit pro latrocinio et ductus coram justiciariis et inculpatus dixit: Domine, ego fui in ecclesia de N. et dehinc vi abstractus, unde imprimis peto juris beneficium quod mittar retro ibi unde fui abstractus.—JUSTICIARIUS. Nos dicius quod ecclesia nunquam fuit dedicata per episcopum.—PRISO. Sic, domine.—JUSTICIARIUS. Inquiratur per duodecim:—Qui dixerunt quod illa ecclesia nunquam fuit dedicata per episcopum.—JUSTICIARIUS. Modo oportet te respondere.—PRISO. Sum bonus et fidelis: ideo de bono et malo pono, etc. (formule de soumission à la décision du jury: *patriam*).—Duodecim nominati exiverunt ad deliberandos (*sic*).» Le résultat final n'est pas donné. Les *Year-Books* font assez souvent mention de cas où le droit d'asile est invoqué, ce qui montre que les voleurs ne négligeaient pas cet avantage.

Le félon réfugié dans un sanctuaire et qui se décidait à «forjurer le royaume», prêtait serment en ces termes: «Hoc audis, domine coronator, quod ego N. sum latro bidentium vel alicujus alterius animalis vel homicida unius vel plurium et felonus domini regis Anglie. Et quia multa mala vel latrocinia hujusmodi, in terra sua feci, abjuro terram domini E. regis Anglie; et quod debeo festinare me versus portum de tali loco quem mihi dedisti; et quod non debeo abire de alta via, et si faciam, volo quod sim captus sicut latro et felonus domini regis; et quod ad talem locum diligenter queram transitum; et quod expectabo illic nisi fluxum et refluxum, si transitum habere potero, et nisi tanto spatio transitum habere potero, ibo quolibet die in mare usque ad genua («usque ad collum,» selon le *Fleta*, liv. I, ch. XXIX) tentans transire; et nisi hoc potero infra quadraginta dies continuos mittam me iterum ad ecclesiam, sicut latro et felonus domini regis. Et sic Deus me adjuvet!» (*Statutes of the realm*, t. I, p. 250.)

(17) ABUS RÉSULTANT DU DROIT D'ASILE (p. 95).—Pétition des communes (*Rotuli parliamentorum*, t. III, p. 503, année 1402): «Item prient les communes, coment diverses persones des divers estatz, et auxi apprentices et servantz des plusours gentz, si bien demurrants en la citée de Loundres et en les suburbes d'icell, come autres gents du roialme al dite citée repairantz, ascuns en absence de lour meistres, de jour en autre s'enfuyent ove les biens et chatelx de lour ditz mestres à le college de Seint Martyn le Grant en Loundres, à l'entent de et sur mesmes les biens et chateux, illeoqes vivre à lour voluntée saunz duresse ou exécution du ley temporale sur eux illeoqes ent estre faite, et là sont ils resceux et herbergéez, et mesmes les biens et chateux par les ministres du dit college al foitz seiséez et pris come forffaitz à le dit college. Et auxi diverses dettours as plusours marchantz, si bien du dite citée, come d'autres vaillantz du roialme, s'enfuyent de jour en autre al dit college ove lour avoir à y demurrer à l'entent avaunt dit.

Et ensement plusours persones au dit college fuéez et là demurrantz, pur lour faux lucre, forgent, fount et escrivent obligations, endentures, acquitances, et autres munimentz fauxes, et illeoqes les enseallent es nouns si bien de plusours marchantz et gentz en en la dite citée demurantz, come d'autres du dit roialme à lour disheriteson et final destruction.... Et en quelle college de temps en temps sount receptz murdres, traitours, larouns, robbours et autres diverses felouns, malfaisours et destourbours de la pées nostre seignur le roy, par jour tapisantz et de noet issantz pur faire lour murdres, tresons, larcines, robbories et félonies faitz, al dit college repairent.»

Le roi se borne à promettre vaguement que «raisonable remédie ent serra fait»:

Discours de Buckingham pour la suppression du droit d'asile (sous Richard III):

«What a rabble of theues, murtherers, and malicious heyghnous traitours, and that in twoo places specyallye.... Mens wyues runne thither with theyr housebandes plate, and saye, thei dare not abyde with theyr housbandes for beatinge. Theues bryng thyther theyr stolen goodes, and there lyue thereon. There deuise they newe roberies; nightlye they steale out, they robbe and reue, and kyll, and come in again as though those places gaue them not onely a safe garde for the harme they haue done, but a license also to doo more.»

Paroles de la reine:

«In what place coulde I recken him sure, if he be not sure in this sentuarye whereof was there neuer tiraunt so deuelish, that durste presume to breake... For sothe he hath founden a goodly glose, by whiche that place that may defend a thefe, may not saue an innocent....»

The history of king Richard the thirde (unfinished) writen by master Thomas More, than one of the under Sherriffs of London: aboute the yeare of our Lorde 1513, Londres, 1557; réimprimé par S. W. Singer, Chiswick, 1821, 8°.

(18) LES EMPIRIQUES DU QUATORZIÈME SIÈCLE (p. 109).—Recette de Gaddesden contre la petite vérole: «Capiatur scarletum rubrum et qui patitur variolas involvatur in illo totaliter, vel in alio panno rubro; sicut ego feci quando inclyti regis Angliæ filius variolas patiebatur; curavi ut omnia circa lectum essent rubra, et curatio illa mihi optime successit.»

Recette contre la pierre: «Habui calculosum quem per longum tempus non potui sanare; tandem curavi mihi colligi scarabæos multos qui inveniuntur in stercoribus boum in æstate et cicadas quæ cantant in campis: et ablatis capitibus ac alis de cicadis, posui illas cum scarabæis in oleo communi in olla: qua obturata, collocavi postea in furnum in quo panis iacuit, et reliqui illam illic per diem et noctem, extractaque olla, ad ignem calefeci modicum, et totum simul contrivi, tandem renes et pectinem inunxi: et intra triduum cessavit dolor, lapisque comminutus et fractus est, atque exivit.»

Joannis Anglici praxis medica rosa anglica dicta, Augsbourg, 1595, 2 vol. 4°, t. II, p. 1050, et t. I, p. 496.

(19) LES MÉNESTRELS, JONGLEURS ET CHANTEURS AMBULANTS; LES SUJETS DE LEURS CHANSONS (p. 117).

Men lykyn Iestis for to here

And romans rede in diuers manere

Of Alexandre the conqueroure,

Of Iulius Cesar the emperoure,

Of Grece and Troy the strong stryf,

There many a man lost his lyf,

Of Brute that baron bold of hond

The first conqueroure of Englond,

Of kyng Artour that was so riche:

Was non in his tyme him liche

. . . .

How kyng Charlis and Rowlond fawght

With sarzyns nold they be cawght,

Of Trystrem and of Ysoude the swete

How they with love first gan mete,

Of kyng Iohn and of Isombras,

Of Idoyne and of Amadas,

Stories of diuerce thynggis,

Of pryncis, prelatis and of kynggis,

Many songgis of diuers ryme

As english frensh and latyne.

Cursor mundi, the cursur o the world, a northumbrian poem of the XIVth century, ed. R. Morris, 1874, etc., 6 vol. 8°, t. V, p. 1651.

«Do come,» he seyde, «my minstrales,

And gestours for to tellen tales

Anon in my arminge;

Of romances that been roiales

Of popes and of cardinales,

And eek of loue lykinge.»

Canterbury tales.—Rime of Sir Thopas.

. . . .

Of alle manner of minstrales,

And jestours, that tellen tales

Both of weeping and of game.

House of fame, liv. III.

Activa vita dans Langland montre qu'elle n'est pas un ménestrel en déclarant qu'elle ne sait pas jouer du tambourin ni réciter de belles gestes héroïques:

Ich can nat tabre ne trompe · ne telle faire gestes.

The Vision of William, etc., texte C, *passus* XVI, vers 206.

Dans le manuel de conversation appelé *La manière de langage*, composé au quatorzième siècle par un Anglais (publié par M. Paul Meyer, *Revue critique*, t. X, p. 373), on voit que le voyageur de distinction écoutait à l'auberge des musiciens et mêlait au besoin sa voix à leur musique: «Doncques viennent avant ou présence du signeur les corneours et clariouers ov leur fretielles et clarions, et se comencent à corner et clariouer très [fort], et puis le signeur ou ses escuiers se croulent, banlent, dancent, houvent et chantent de biaux karoles sanz cesser jusques à mynuyt.»

(20) RÉCEPTION DES MÉNESTRELS DANS LES CHATEAUX (p. 118).—Horn et ses compagnons, dans le roman de *King Horn* se déguisent en ménestrels et se présentent à la porte du château de Rymenhild:

Hi ȝeden bi the grauel

Toward the castel,

Hi gunne murie singe

And makede here gleowinge.

Rymenhild hit gan ihere

And axede what hi were:

Hi sede, hi weren harpurs,

And sume were gigours.

He dude Horn inn late

Riȝt at halle gate,

He sette him on a benche

His harpe for to clenche.

King Horn, éd. J. Rawson Lumby, Early english text society, Londres, 1866, 8°, vers 1465.

(21) LES ROMANS EN ANGLETERRE: LES ORIGINES FABULEUSES DE LA NATION (p. 118).—Les premiers romans récités en Angleterre le furent nécessairement en français; puis on se mit à les traduire. L'ensemble des romans anglais est traduit ou imité du français. Les modèles français avaient grande réputation: le traducteur du roman de Guillaume de Palerne, malgré sa liberté d'allures, affirme qu'il suit exactement le texte français et s'en fait une gloire.

In this wise hat William al his werke ended,

As fully as the frensche fully wold aske,

And as his witte him wold serve though it were febul.

(*The romance of William of Palerne*.... translated.... about A. D. 1350, éd. Skeat, 1867, 8°, v. 5521.)

Ce même traducteur ajoute qu'il a fait son travail à la demande de Humphrey de Bohun, comte de Hereford. Le comte lui commanda ce poème en vue des personnes ignorant le français et qui, comme on voit, comptaient alors (1350) parmi celles que la littérature peut intéresser:

He let make this mater in this maner speche
For han that knowe no frensche ne neuer vnderston.

(*Ibid.*, vers 5532.)

Layamon, au commencement du treizième siècle, inséra pour l'édification de ses compatriotes, dans son grand poème anglais de *Brut*, les légendes qui faisaient descendre d'Énée la race des souverains bretons. Ces origines fabuleuses n'avaient été exposées jusque-là qu'en latin et en français. Le *Brut* de Layamon est en grande partie emprunté à Wace, mais le poète indigène ajouta beaucoup à son modèle (*Layamon's Brut*, éd. Madden, 1847, 3 vol. 8°). Quantité de romans anglais postérieurs se réfèrent à ces origines qui ne sont plus discutées. Ainsi l'auteur de *Sir Gawayne* débute en rappelant qu'après le siège de Troie, Romulus fonda Rome, «Ticius» peupla le pays Toscan, «Langaberde» la Lombardie, et Brutus s'établit dans la Grande-Bretagne (*Sir Gawayne and the Green Knight*, éd. Morris, 1864, 8°). Il assure à la fin son lecteur que tous ses récits sont tirés des «Brutus bokees», ce qui était une garantie suffisante d'authenticité. On sait que les chroniqueurs ne furent pas moins crédules sur ce point que les faiseurs de romans; les protestations de Giraud le Cambrien et de Guillaume de Newbury (dans le *prœmium* de son histoire) furent écartées, et Robert de Gloucester, Pierre de Langtoft, Ranulph Higden («a Bruto eam acquirente dicta est Britannia,» *Polychronicon*, éd. Babington, t. II, p. 4), l'auteur anonyme de l'*Eulogium historiarum* et foule d'autres chroniqueurs autorisés accueillirent dans leurs écrits ces vaines légendes.

(22) LES ROMANS DU QUATORZIÈME SIÈCLE RIDICULISÉS PAR CHAUCER (p. 122).—On trouvera des spécimens de ces romans dans le recueil: *The Thornton romances*, éd. Halliwell, Camden society, 4°, 1844. Les romans publiés dans ce volume sont: *Perceval*, *Isumbras*, *Eglamour* et *Degrevant*. Le plus long n'a pas 3000 vers; *Isumbras* n'en a pas 1000. Le manuscrit, qui est à la cathédrale de Lincoln, contient beaucoup d'autres romans, notamment une *Vie d'Alexandre*, une *Mort d'Arthur*, un *Octavien*, un *Dioclétien*, sans parler d'une foule de prières en vers, de recettes pour guérir les maux de dents, de prédictions sur le temps, etc.

Après une prière, ces romans débutent ainsi:

I wille yow telle of a knyghte,

That bothe was stalworthe and wyghte,

And worthily undir wede;

His name was hattene syr Ysambrace.

(*Isumbras.*)

Y shalle telle yow of a knyght

That was bothe hardy and wyght

And stronge in eche a stowre.

(*Sir Eglamour.*)

And y schalle karppe off a knyght

That was both hardy and wyght

Sire Degrevaunt that hend hyght,

That dowghty was of dede.

(*Degrevant.*)

Chaucer psalmodie sur le même ton, dans sa parodie des romans de cette sorte:

.... I wol telle verrayment

Of myrthe and of solas.

Al of a knyght was fair and gent

In batail and in tornament,

His name was Sir Thopas.

(*The tale of Sir Thopas.*)

Et l'hôte l'interrompt d'un ton bourru:

«No mor of this, for Goddes dignité!»

Quod owr Hoste, «for thou makest me

So wery of thy verry lewednesse,

That, al-so wisly God my soule blesse,

Myn eeres aken for thy drasty speche.»

(Discours de l'hôte, après le conte
de sire Thopas, *Prologe to Melibeus.*)

(23) CHANSONS POPULAIRES ANGLAISES DU MOYEN AGE (p. 131).—Recueils à consulter:

Ancient songs and ballads from the reign of Henry II to the Revolution, collected by John Ritson (édition revue par Hazlitt), Londres, 1877, 12°.

Political songs of England, edited by Thomas Wright, Londres, 1839, 4°.

Songs and carols now first printed from a ms. of the XVth century, edited by Thomas Wright, Percy society, Londres, 1847, 8°.

Political poems and songs, from Edward III to Richard III, edited by Thomas Wright (Collection du Maître des rôles), Londres, 1859, 2 vol. 8°.

Political, religious and love poems, edited by F. J. Furnivall, Londres, Early english text society, 1866, 8°.

On trouvera dans ces recueils beaucoup de chansons satiriques sur les vices du temps, sur les exagérations de la mode, le mauvais gouvernement du roi, sur les lollards, sur les frères; des plaisanteries sur les femmes, avec quelques chants plus relevés excitant le roi à défendre l'honneur national et à faire la guerre: ex. dans le livre de M. Furnivall, p. 4. Noter dans le même ouvrage le chant sur la mort du duc de Suffolk:

Here folowythe a Dyrge made by the comons of Kent in the tyme of ther rysynge, when Jake Cade was theyr cappitayn:

. . . .

Who shall execute ye fest of solempnite?

Bysshoppis and lords, as gret reson is.

Monkes, chanons, and prestis, withall ye clergy,

Prayeth for hym that he may com to blys,

And that nevar such anothar come aftar this!

His intersectures, blessid mot they be,

And graunt them to reygne with aungellis!

For Jake Napys sowle, placebo and dirige.

«Placebo,» begyneth the bishop of Hereforthe;

«Dilexi,» quod ye bisshop of Chester....

(24) LES MÉNESTRELS ET LES ROMANS A LA RENAISSANCE (p. 138).—Jugement de Philippe Stubbes sur les ménestrels: «Suche drunken sockets and bawdye parasits as range the cuntreyes, ryming and singing of vncleane, corrupt and filthie songs in tauernes, alehouses, innes and other publique assemblies....

«Euery toune, citey and countrey is full of these minstrelles to pype vp a dance to the deuill; but of dyuines, so few there be as they maye hardly be seene.

«But some of them will reply, and say, what, sir! we haue lycences from iustices of peace to pype and vse our minstralsie to our best commoditie. Cursed be those licences which lycense any man to get his lyuing with the destruction of many thousands!

«But haue you a lycence from the arch-iustice of peace, Christe Iesus? If you haue not.... then may you as rogues, extrauagantes, and straglers from the heauenly country, be arrested of the high iustice of peace, Christ Iesus, and be punished with eternall death, notwithstanding your pretensed licences of earthly men.» *Phillip Stubbes's Anatomy of abuses*, éd. F. J. Furnivall, Londres, 1877-78, 8°, pp. 171, 172.

L'opinion de Stubbes est partagée au seizième siècle par tous les écrivains qui se piquent de religion ou d'austérité de mœurs. Les vieux romans sont condamnés en même temps que les ménestrels; on voit dans ces poèmes des œuvres de papistes, et c'est tout dire. Tyndal, dans son *Obedience of a christian man*, reproche aux poètes catholiques de laisser leurs ouailles lire ces romans de préférence à la Bible:

«They permitte and soffre you te reade Robyn Hode and Bevise of Hampton, Hercules, Hector and Troylus with a thousande histories and fables of love, wantones and of rybaudry.»

Ascham écrit dans son *Scholemaster* (1570):

«In our forefathers tyme, whan papistrie as a standyng poole, couered and ouerflowed all England, fewe bookes were read in our tong, sauyng certaine bookes of cheualrie, as they sayd, for pastime and pleasure, which as some say, were made in monasteries, by idle monkes or wanton chanons: as one for example, *Morte Arthure*: the whole pleasure of whiche booke standeth in two speciall poyntes, in open mans slaughter and bold bawdrye: in which booke those be counted the noblest knightes, that do kill most men without any quarell, and commit fowlest aduoulteres by sutlest shiftes.»

(25) LES FRÈRES MENDIANTS JUGÉS PAR LES POÈTES, PAR WYCLIF, PAR LES CONCILES, PAR SIR THOMAS MORE, ETC. (p. 183).—Portrait du frère par Chaucer:

Ful wel biloved and familiar was he

With frankeleyns overal his cuntre

And eeke with worthi wommen of the toun.

. . . .

Ful sweetly herde he confessioun

And plesaunt was his absolucioun;

He was an esy man to yeve penance

Ther as he wiste to han good pitance:

For unto a povre ordre for to geve

Is signe that a man is wel i-schreve.

. . . .

He knew wel the tavernes in every toun

And every ostiller or gay tapstere.

Prologue of the Canterbury tales, éd. Morris, t. II, p. 8.

Portrait par le moine Thomas Walsingham:

«Qui [ordines] suæ professionis immemores, obliti sunt etiam ad quid ipsorum ordines instituti sunt; quia pauperes et omnino expeditos a rerum temporalium possessionibus, eorum legislatores, viri sanctissimi, eos esse ideo voluerunt, ut pro dicenda veritate non haberent quod amittere formidarent. Sed jam possessionatis invidentes, procerum crimina approbantes, commune vulgus in errore foventes, et utrorumque peccata commendantes, pro possessionibus acquirendis, qui possessionibus renunciaverant, pro pecuniis congregandis, qui in paupertate perseverare juraverant, dicunt bonum malum et malum bonum, seducentes principes adulationibus, plebem mendaciis et utrosque secum in devium pertrahentes.» Walsingham ajoute qu'un proverbe familier de son temps était celui-ci: «Hic est frater, ergo mendax.» *Historia anglicana*, 1867-9, 3 vol. 8°, t. II, pp. 10-13.

Chanson populaire du XIVe siècle sur les frères:

Preste ne monke ne yit chanoun

Ne no man of religioun

Gyfen hem so to devocioun

As done thes holy frers.

For summe gyven ham chyvalry,

Somme to riote and ribaudery;

Bot ffrers gyven ham to grete study

And to grete prayers.

Après ces strophes ironiques vient un réquisitoire formel trop détaillé pour être cité (*Political poems and songs*, éd Wright, t. I, p. 263).

Emploi de l'habit des frères par des laïques au moment de l'agonie:

Isti fratres prædicant per villas et forum

Quod si mortem gustet quis in habitu minorum

Non intrabit postea locum tormentorum,

Sed statim perducitur ad regna cœlorum.

Si c'est un pauvre qui demande la sépulture dans leurs églises privilégiées:

Gardianus absens est, statim respondetur,
Et sic satis breviter pauper excludetur.

(Satire du quatorzième siècle, publiée par Th. Wright: *Political poems and songs*, t. I, pp. 256-7.)

Wyclif dit de même: «Thei techen lordis and namely ladies that if they dyen in Fraunceys habite, thei schulle nevere cum in helle for vertu therof.» *Select english works*, éd. T. Arnold, Oxford, 1869, 3 vol. 8°, t. III, p. 382.

Objets divers vendus ou donnés en cadeaux par les frères dans leurs tournées:

Thai wandren here and there

And dele with dyvers marcerye,

Right as thai pedlers were.

Thai dele with purses, pynnes and knyves

With gyrdles, gloves, for wenches and wyves.

Political poems and songs, éd. Wright, t. I, p. 263.

De même dans Chaucer:

His typet was ay farsud ful of knyfes
And pynnes, for to yive faire wyfes.

Et mieux encore dans un des traités publiés par M. F. D. Matthew, *The english works of Wyclif hitherto unprinted*, Londres, Early english text society, 1880, 8°; (la plupart des pièces composant ce recueil sont seulement attribuées à Wyclif):

«Thei becomen pedderis, berynge knyues, pursis, pynnys and girdlis and spices and sylk and precious pellure and forrouris for wymmen, and therto smale gentil hondis, to get love of hem.»

Les frères se glissent dans la familiarité des grands; ils aiment, selon Wyclif, «to speke bifore lordis and sitte at tho mete with hom... also to be confessoures of lordis and ladyes.» (*Select english works of John Wyclif*, éd. T. Arnold, t. III, p. 396.) Langland, dans sa *Vision de Piers Plowman*, leur fait les mêmes reproches. On lit encore dans un autre traité: «Thei geten hem worldly offis in lordis courtis, and also to ben conseilours and reuleris of werris summe to ben chamberleyns to lordes and ladies.» F. D. Matthew: *The english works of Wyclif, hitherto unprinted.*

Gower fait aussi aux frères ces mêmes reproches:

Nec rex nec princeps nec magnas talis in orbe est

Qui sua secreta non fateatur eis:

Et sic mendici dominos superant, et ab orbe

Usurpant tacite quod negat ordo palam.

Poema quod dicitur Vox Clamantis, éd. Coxe,
Roxburghe club, 1850, 4°, p. 228.

Les frères, d'après le concile de Saltzbourg (1386), empiètent sur le rôle des curés; le concile condamne leurs sermons:

«Quia religiosos, præcipue fratres mendicantes, decet puritatem omnimodam in suis actibus observare: quoniam tamen... tamquam pseudo-prophetæ fabulosis prædicationibus audientium animos plerumque seducunt; et quamquam invitis ipsarum ecclesiarum rectoribus, ipsi fratres, nisi per eosdem rectores vocati sed invitati ad hoc fuerint, de jure non audeant nec debeant prædicare: volumus tamen quod dicti rectores ipsos invitent vel admittant, nisi de proponendo verbum Dei a suis superioribus licentiam habeant, et de illa sæpe dictis rectoribus faciant plenam fidem.» (Labbe, *Sacrosancta concilia*, éd, de Florence, t. XXVI, col. 730.)

La querelle du frère et du fou sur l'extinction du paupérisme, d'après Sir Thomas More:

«At ne sic quidem, inquit [frater], extricaberis a mendicis nisi nobis quoque prospexeris fratribus. Atqui, inquit parasitus, hoc jam curatum est. Nam cardinalis egregie prospexit vobis, cum statueret de coercendis atque opere exercendis erronibus. Nam vos estis errones maximi. Hoc quoque dictum, quum conjectis in cardinalem oculis eum viderent non abnuere, cœperunt omnes non illibenter arridere, excepto fratre.»

Thomæ Mori.... Vtopiæ libri II.... Basileæ, 1563, liv. I, p. 31.

(26) LES PARDONNEURS (p. 191).—Le pardonneur de Chaucer:

. . . . a gentil pardoner,

. . . .

That streyt was comen from the court of Rome;

. . . .

His walet lay byforn him in his lappe,

Bret-ful of pardoun come from Rome al hoot.

. . . .

Lordyngs, quod he, in chirches whan I preche,

I peyne me to have an hauteyne speche,

And ryng it out as lowd as doth a belle,

For I can al by rote whiche that I telle.

My teeme is alway oon, and ever was

Radix omnium malorum est cupiditas.

First I pronounce whennes that I come

And thanne my bulles schewe I alle and some;

Oure liege lordes seal upon my patent

That schewe I first my body to warent,

That no man be so hardy, prest ne clerk,

Me to destourbe of cristes holy werk.

And after that than tel I forth my tales.

Bulles of popes and of cardynales,

Of patriarkes, and of bisshops, I schewe,
And of latyn speke I wordes fewe
To savore with my predicacioun,
And for to stere men to devocioun.

. . . .

I stonde lik a clerk in my pulpit,
And whan the lewed poeple is doun i-set,
I preche so as ye have herd before,
And telle hem an hondred japes more.
Than peyne I me to strecche forth my necke,
As doth a dowfe syttyng on a berne;
Myn hondes and my tonge goon so yerne
That it is joye to se my businesse.

. . . .

I preche no thyng but for coveityse.
Therfor my teem is yit, and ever was,
Radix omnium malorum est cupiditas

. . . .

For I wol preche and begge in sondry londes;
I wil not do no labour with myn hondes.

. . . .

I wol noon of thapostles counterfete;
I wol have money, wolle, chese, and whete.

. . . .

Now good men, God foryeve yow your trespas
And ware yow fro the synne of avarice.
Myn holy pardoun may yon alle warice
So that ye offren noblis or starlinges,
Or elles silver spones, broches or rynges,

Bowith your hedes under this holy bulle.

. . . .

I yow assoile by myn heyh power,

If ye woln offre, as clene and eek as cler.

As ye were born.

. . . .

I rede that oure hoste schal bygynne,

For he is most envoliped in synne.

Com forth, sire ost, and offer first anoon,

And thou schalt kisse the reliquis everichoon,

Ye for a grote, unbocle anone thi purse.

The poetical works of Chaucer, éd. R. Morris, prologue des *Canterbury tales* (t. II), et prologue du pardonneur (t. III).

Le pardonneur de Boccace ressemble beaucoup a celui de Chaucer; son Frate Cipolla était aussi fort éloquent: «Era questo frate Cipolla di persona piccolo, di pelo rosso, e lieto nel viso, e il miglior brigante del mondo: e oltre a questo, niuna scienza avendo, si ottimo parlatore e pronto era, che chi conosciuto non l'avesse, non solamente un gran rettorico l'avrebbe stimato, ma avrebbe detto esser Tullio medesimo, o forse Quintiliano; e quasi di tutti quegli della contrada era compare o amico o benivogliente.» (*Décaméron*, journée VI, nouvelle X.)

Les pardonneurs jugés par le pape:

«Ad audientiam nostram, non sine magna mentis displicentia fide dignorum quam plurium relatio perduxit quod quidam religiosi diversorum etiam mendicantium ordinum et nonnulli clerici sæculares etiam in dignitatibus constituti, asserentes se a nobis aut a diversis legatis seu nuntiis sedis apostolicæ missos, et ad plura peragenda negotia diversas facilitates habere per partes in quibus es pro nobis et Ecclesia Romana thesaurarius deputatus, discurrunt, et veras vel prætensas quas se habere dicunt, facultates fideli et simplici populo nunciant et irreverenter veris hujusmodi facultatibus abutentes, suas fimbrias, ut vel sic turpem et infamem quæstum faciant, impudenter dilatant, et non veras et prætensas facultates hujusmodi mendaciter simulant, cum etiam pro qualibet parva pecuniarum summula, non pœnitentes, sed mala conscientia satagentes iniquitati suæ, quoddam mentitæ absolutionis velamen prætendere, ab atrocibus delictis, nulla vera contritione, nullaque debita præcedenti forma (ut verbis illorum utamur) absolvant; male ablata, certa et incerta, nulla satisfactione prævia (quod omnibus sæculis absurdissimum est) remittant; castitatis, abstinentiæ, peregrinationis ultramarinæ seu beatorum Petri et Pauli de urbe aut Jacobi de Compostella apostolorum et alia quævis vota, levi compensatione commutent; de hæresi vel schismate nominatim aut incidenter condemnatos, absque eo, quod in debita forma abjurent et quantum possunt debite satisfaciant non tantum absolvant, sed in integrum restituant; cum illegitime genitis, ut ad ordines et beneficia promoveri possint, et intra gradus probibitos copulatis aut copulandis dispensent, et eis qui ad partes infidelium absque sedis prædictæ licentia transfretarunt, vel merces prohibitas detulerunt, et etiam qui Romanæ aut aliarum ecclesiarum possessiones, jura, et bona occuparunt, excommunicationis et alias sententias et pœnas et quævis interdicta relaxent, et indulgentiam quam felicis recordationis Urbanus Papa VI prædecessor noster, christifidelibus certas basilicas et ecclesias dictæ urbis instanti anno visitantibus concessit, et quæ in subsidium Teræ Sanctæ accedentibus conceduntur, quibusvis elargiri pro nihilo ducant, et quæstum, quem exinde percipiunt, nomine cameræ apostolicæ se percipere asserant, et nullam de illo nihilominus rationem velle reddere videantur: Horret et merito indignatur animus talia reminisci....

«Attendentes igitur quod nostra interest super tot tantisque malis de opportunis remediis salubriter providere, fraternitati tuæ de qua in iis et aliis specialem in domino fiduciam obtinemus, per apostolica scripta committimus et mandamus quatenus religiosis et clericis sæcularibus hujusmodi, ac earum familiaribus, complicibus et collegiis, et aliis, vocatis qui fuerint evocandi, summarie, simpliciter et de plano ac sine strepitu et figura judicii, etiam ex officio super præmissis, auctoritate nostra, inquiras diligentius veritatem, et eos ad reddendum tibi computum de receptis et reliqua consignandum, remota appellatione, compellas, et quos per inquisitionem hujusmodi excessisse, vel non verum aut non sufficiens seu ad id non habuisse mandatum inveneris, capias et tandius sub fida custodia teneas carceribus mancipatos, donec id nobis intimaveris.» (Lettre adressée, en 1390, par Boniface IX à divers évêques, *Annales ecclesiastici*, t. VII, p. 525 de la suite de Raynaldus.)

(27) INSTALLATION DE STATUES POUR ATTIRER LES PÈLERINS (p. 212).—Récit de Thomas de Burton, abbé de Meaux près Beverley:

«Dictus autem Hugo abbas XV^us crucifixum novum in choro conversorum fecit fabricari. Cujus quidem operarius nullam ejus formosam et notabilem proprietatem sculpebat nisi in feria sexta, in qua pane et aqua tantum jejunavit. Et hominem nudum coram se stantem prospexit, secundum cujus formosam imaginem crucifixum ipsum aptius decoraret. Per quem etiam crucifixum Omnipotens manifesta miracula fecerat incessanter. Unde tunc etiam putabatur quod si mulieres ad dictum crucifixum accessum haberent augmentaretur communis devotio, et in quam plurimum commodum nostri monasterii, redundaret. Super quos abbas Cistercii a nobis requisitus, suam licentiam nobis impertivit ut homines et mulieres honestæ accedere possint ad dictum crucifixum, dum tamen mulieres per claustrum et dormitorium seu alia officina intrare non permittantur.... Cujus quidem licentiæ prætextu, malo nostro, feminæ sæpius aggrediuntur dictum crucifixum, præcipue cum in eis frigescat devotio, dum illuc, ut ecclesiam tantum introspiciant accesserint, et sumptus nostros augeant in hospitatione earundem.»

Chronica monasterii de Melsa, éd. A. Bond, 1868, t. III, p. 35.

La lettre de William Grenefeld, archevêque d'York, relativement à l'installation d'une statue de la Vierge, débute ainsi: «Sane nuper ad aures nostras pervenit quod ad quandam imaginem beatæ Virginis in ecclesia parochiali de Foston noviter collocatam magnus simplicium est concursus, acsi in eadem plus quam in aliis similibus imaginibus aliquid numinis appareret....» Année 1313; Wilkins, *Concilia*, t. II, p. 423.

(28) LES PÈLERINAGES; ATTITUDE DES WYCLIFITES ET DES PROTESTANTS (p. 215).—Abjuration du lollard William Dynet, 1er décembre 1395:

«.... Fro this day forthwarde, I shall worshipe ymages, with praying and offering vn-to hem in the worschepe of the seintes that they be made after; and also I shal neuermore despyse pylgremage....»

Academy du 17 novembre 1883; le texte de ce serment sera inséré dans la collection d'*Early english documents* que prépare en ce moment M. Furnivall.

Opinion de Latimer sur les pèlerinages:

«What thinke ye of these images that are had more then their felowes in reputation? that are gone vnto with such labour and werines of the body, frequented with such our cost, sought out and visited with such confidence? what say ye by these images, that are so famous, so noble, so noted, beyng of them so many and so diuers in England. Do you thinke that this preferryng of picture to picture, image to image is the right vse and not rather the abuse of images?» *A sermon... made.. to the conuocation of the clergy* (28 Henry VIII).—*Frutefvll sermons preached by the right reuerend father and constant martyr of Iesus Christ, M. Hugh Latymer*, Londres, 1571, 4°.

(29) NOTES DE VOYAGE DE PÈLERINS ANGLAIS DES QUATORZIÈME ET QUINZIÈME SIÈCLES (p. 226).—Voyage à Saint-Jacques (quinzième siècle):

Men may leue alle gamys,

That saylen to seynt Jamys!

Ffor many a man hit gramys,

When they begyn to sayle.

Ffor when they haue take the see

At Sandwich or at Wynchylsee

At Bristow or where that hit bee,

Theyr hertes begyn to fayle.

. . . .

. . «Som are lyke to cowgh and grone

Or hit be full mydnygtht,

Hale the bowelyne! now were the shete!

Cooke, make redy anoon our mete,

Our pylgryms haue no lust to ete.»

. . . .

Then comethe oone and seyth, «Be mery;

Ye shall haue a storme or a pery.»

. . . .

Thys mene whyle the pylgryms ly

And haue theyr bowlys fast theym by

And cry after hote maluesy.

. . . .

Som layde theyr bookys on theyr kne,

And rad so long that they myght nat se;

«Allas! myne hede wolle cleue on thre!»

Thus seyth another certayne.

Poème du temps d'Henri VI publié par M. Furnivall, *The stacions of Rome and the pilgrim's sea voyage*, Early english text society, Londres, 1867.

Voyage à Rome (quatorzième siècle); la fondation de Rome:

The Duchesse of troye that sum tyme was.

To Rome com with gret pres.

Of hire com Romilous and Romilon.

Of whom Rome furst bi-gon.

Hethene hit was and cristened noutȝt.

Til petur and poul hit hedde I-bouȝt.

With gold ne seluer ne with no goode.

Bot with heore flesch and with heore blode.

Les catacombes:

But thou most take candel liht.

Elles thou gost merk as niht.

For vnder the eorthe most thou wende.

Thow maiȝt not seo bi-fore ne bi-hynde.

For thider fledde mony men.

For drede of deth to sauen hem.

And suffrede peynes harde and sore.

In heuene to dwelle for euer more.

Le portrait de la Vierge:

Seint Luik while he liued in londe.

Wolde haue peynted hit with his honde.

And whon he hedde ordeyned so.

Alle colours that schulde ther to.

He fond an ymage al a-pert.

Non such ther was middelert.

Mad with angel hond and not with his.

As men in Rome witnesseth this.

Le Panthéon:

A-grippa dude hit make.

For Sibyl and Neptanes sake.

. . . .

He zaf hit name panteon.

L'idole du Panthéon:

Hit loked forth as a cat;

He called hit Neptan.

The stacions of Rome, in verse, from the Vernon ms., ab. 1370, éd. F. J. Furnivall; Early english text society, 1867, 8°. On trouvera un texte du même ouvrage, avec beaucoup de variantes, dans les *Political, religious and love poems*, publiés par M. Furnivall (1866, 8°, p. 113). Voir au commencement de cette dernière publication les notes de M. W. M. Rossetti sur les *Stacions*. Il compare les renseignements fournis par l'auteur du poème à ceux que donne l'Italien Francino dans le livre composé par celui-ci en 1600 sur le même sujet. M. Rossetti indique aussi ce qu'on montre encore aujourd'hui à Rome des reliques vantées dans les *Stacions*.

FIN

NOTES

[1] *Yearbooks of Edward I*, édition Horwood, Londres, 1863, etc., 8° (collection du *Master of the rolls*), années 30-31 d'Édouard Ier.

[2] Lorsque Henri VIII donna à la cathédrale de Cantorbéry les terres du monastère dissous de Christ-church, il déclara faire cette donation «pour que les aumônes aux pauvres, la réparation des routes et des ponts et *autres offices pieux de toute sorte* se multipliassent et se répandissent au loin». Et sa concession était faite «in liberam, puram et perpetuam eleemosynam». (Elton, *Tenures of Kent*, Londres, 1867, 8°)

[3] Thorold Rogers, *History of agriculture and prices in England*, Oxford (Clarendon press), 1866-1882, 4 vol. 8°, t. I.

[4] Voy. *Recherches historiques sur les congrégations hospitalières des frères pontifes*, par M. Grégoire, ancien évêque de Blois. Paris, 1818, 8°.

[5] *Registrum Palatinum Dunelmense*, édition Hardy, 1873, 8°; t. I, pp. 615 et 641 (A. D. 1314), texte latin.

[6] *Registrum Palatinum Dunelmense*, t. I, p. 507.

[7] «Allso theare be mainteigned ..... and kept in good reparaciouns two greate stone bridges, and diuers ffoule and daungerous high wayes, the charge whereof the towne of hitsellfe ys not hable to mainteign. So that the lacke thereof wilbe a greate noysaunce to the kinges maties subiectes passing to and ffrom the marches of wales and an vtter ruyne to the same towne, being one of the fayrest and moste proffittable townes to the kinges highnesse in all the shyre.» (*English Gilds; the original ordinances... from mss. of the 14th and 15th cent.*, ed. by Toulmin Smith.—Early English text Society, Londres, 1870, 8°, p. 249.)

[8] *Archæologia*, t. XXVII, p. 77, et t. XXIX, p. 380.

[9] Ms. *Reg.* 16, F. 2, au British Museum (Poésies de Charles d'Orléans, époque de Henri VII).

[10] Stow, *The survey of London*, Londres, 1633, fol., pp. 27 et suiv. Stow, qui examina les comptes des gardiens du pont pour une année (22 Henri VII), trouva que les revenus de la construction s'étaient élevés à 815 livres 17 shillings 2 pence. Le pont actuel date de notre siècle; il a été ouvert en 1831 à la circulation; la dépense occasionnée par sa construction a été de 1 458 311 livres sterling (trente-six millions et demi de francs).

[11] Stow, *op. cit.*, p. 29; *Chronicles of London Bridge*, by an antiquary (James Thompson), Londres, 1827, 8°, p. 187.

[12] Moyennant le payement d'une taxe, dont un acte de 1334, inséré dans le *Liber albus* (éd. Riley), avait fixé très minutieusement le tarif.]

[13] *Archæologia*, t. XIX, p. 308. On voit assez souvent des représentations de ponts dans les manuscrits du quatorzième siècle; voy. notamment au British Museum les manuscrits *Addition*, 12 228, fol. 267, et 10 E. IV, fol. 192, etc. Ces ponts ont des arches rondes fortement maçonnées, des piles trapues et quelquefois d'assez jolies corniches. Il ne reste pas aujourd'hui en Angleterre de ponts du moyen âge aussi bien conservés que ceux que nous avons en France; nos voisins n'ont rien qui puisse soutenir la comparaison, par exemple avec le magnifique pont de la *Calendre* à Cahors (XIIIe siècle), ni avec les autres ponts mentionnés plus haut. Ils peuvent toutefois montrer comme curiosité (car il n'a plus d'utilité pratique) le vieux pont à trois branches de Crowland, qui paraît remonter, dans son état actuel, au quatorzième siècle.

[14] Yarm sur la Tees, à 44 milles N.-N.-O. d'York. Le «reale chymyn» dont il est question est la grand'route d'Écosse qui se dirigeait vers le midi en passant par York et Londres. Le pont fut reconstruit en 1400 par Skirlaw, évêque de Durham.

[15] *Rotuli parliamentorum*, t. I, p. 468. Le droit de *pontagium* est fréquemment mentionné dans le *Liber custumarum*, publié par Riley (collect. du Maître des Rôles); voir aussi les *Fœdera* (1816-1830), t. V, p. 520.

[16] Quelquefois, sans doute après avoir éprouvé lui-même ou par quelqu'un des siens le danger du passage, le roi fait une offrande assez considérable pour permettre à elle seule de grosses réparations. Ainsi, la quarante-quatrième année de son règne, Édouard III donne 15 livres sterling pour les réparations du pont de Newcastle-on-Tyne. (*Issue Roll of Thomas de Brantingham*, edited by F. Devon, 1835-1840, p. 392.)

[17] *Rotuli parliamentorum*, t. II, p. 100 (année 1338).

[18] *Rotuli parliamentorum*, t. II, p. 91 (9 Édouard III, 1335).

[19] *Rotuli parliamentorum*, t. II, p. 350.

[20] *Rotuli parliamentorum*, t. II, p. 111.

[21] Édition Luce, t. I, p. 257.

[22] Meaux près Beverley (*Chronica monasterii de Melsa*, édition E. A. Bond; collection du *Maître des Rôles*, Londres, 1868, 3 vol. 8°, t. I, p. XV).

[23] Voir les documents publiés par Riley, *Memorials of London*, Londres, 1868, 8°, p. 291.

[24] *Rotuli parliamentorum*, t. II, p. 107.

[25] Voir des représentations de ces charrettes dans les manuscrits du quatorzième siècle, et notamment dans le manuscrit 10 E. IV au British Museum, fol. 63, 94, 110, etc.

[26] Thorold Rogers, *History of agriculture and prices*, t. I, pp. 650-661.

[27] *Statutes of the realm*, 4 Édouard III, ch. III. Un *quarter* égale huit *bushels*, soit plus de deux hectolitres.

[28] *Statutes of the realm*, 36 Édouard III, ch. II et suiv.

[29] Il suffira de rappeler que les représentations de voitures de cette espèce sont fréquentes dans les manuscrits. On en trouvera plusieurs, à deux roues et très ornées, dans le roman du roi Meliadus (ms. du quatorzième siècle au British Museum, *Addition*, 12 228, fol. 198 et 243). La célèbre voiture à quatre roues du *Luttrell psalter* (aussi du quatorzième siècle) a été fréquemment reproduite, notamment par Turner et Parker dans leur *Domestic architecture of England from Edward I to Richard II*, Oxford, 1852, 4 vol. 8°, t. I, p. 141. On trouve aussi dans les manuscrits de curieuses représentations de litières posées sur des brancards et portées par deux chevaux, un par devant, un autre par derrière (ms. 118 français, roman de Lancelot, à la Bibliothèque nationale, fol. 285; deux personnes sont dans la litière; une dame et un chevalier blessé; quatorzième siècle).

[30] Histoire que raconte La Tour-Landry d'un saint ermite qui vit en rêve la femme de son neveu en purgatoire. Les démons lui enfonçaient des aiguilles ardentes dans les sourcils. Un ange lui dit que «c'estoit pour ce qu'elle avoit affaitié ses sourciz et ses temples, et son front creu, et arrachié son poil pour soy cuidier embellir et pour plaire au monde». (*Le livre du chevalier de La Tour-Landry*, édition Montaiglon, Paris, 1854, 12°.)

[31] Fille de Gilbert de Clare, comte de Gloucester et de Hereford, et de Jeanne d'Acres, fille d'Édouard Ier. Elle mourut le 4 novembre 1360. (*A collection of all the wills.... of the kings and queens of England*, etc.; publiée par J. Nichols, Londres, 1780, 4°, p. 22.)

[32] Sœur du roi (*Issues of the exchequer*, édition Devon, Londres, 1837, p. 142.)

[33] Thorold Rogers, *History of agriculture and prices*, t. I. p. 361.

[34] *The Paston Letters* (1422-1509), a new édition... by James Gairdner, Londres, 1872, 3 vol. 8°.

[35] *Patent rolls and itinerary of King John*, edited by T. D. Hardy, Londres, 1835.

[36] *Liber quotidianus garderobæ*, Londres, 1787, p. LXVII.

[37] «*Archers.*—And xxiiij archers on foote for garde of the kinges body, who shal goe before the kinge as he travaleth thorough the cuntry.» *King Edward II's.. ordinances*, 1323, éd. Furnivall, p. 46.

[38] *Fleta seu commentarius juris anglicani*, editio secunda, Londres, 1685, 4°, liv. II, chap. II. Ce traité fut composé sous Édouard Ier, dans la prison de la *Flotte*,

par un juriste demeuré inconnu. Il est postérieur à 1292, car mention y est faite de la soumission de l'Écosse.

[39] Liv. II, chap. V. Une ordonnance d'Édouard II parle seulement de la marque au fer rouge sur le front. (*King Edward II's household and wardrobe ordinances*, A. D. 1323, Chaucer society, édition Furnivall, 1876.)

[40] Il lui envoyait à cet effet un *mandatum*, qu'il retirait lorsque le roi changeait d'avis sur le lieu où il devait aller, ce qui arrivait assez fréquemment. «Debet autem senescallus nomine capitalis justitiarii cujus vices gerit mandare vicecomiti loci ubi dominus rex fuerit declinaturus quod venire faciat ad certum diem, ubicumque tunc rex fuerit in ballivia sua, omnes assisas comitatus sui, et omnes prisones cum suis atachiamentis.» (*Fleta.*)

[41] «Habet etiam ex virtute officii sui potestatem procedenti ad utlagationes et duella jungendi et singula faciendi quæ ad justitiarios itinerantes, prout supra dictum est pertinent faciendi.»

[42] *Fleta*, liv. II, chap. III.

[43] *Original authority of the King's council*, p. 115.

[44] *King Edward II's household and wardrobe ordinances*, A. D. 1323, édition Furnivall, 1876, § 94.

[45] Ce droit seigneurial était attaché à certains manoirs et se transmettait avec eux. Voir la pétition d'une abbesse de l'île de Wight qui réclame (à cause des amendes dont elle devait bénéficier) la Vue de francpledge attachée au manoir de Shorwalle, qui lui a été donné. La dame Isabelle de Forte lui dispute ce droit. (*Rotuli parliamentorum*, t. II. p. 182, année 1347.)

[46] Notamment, comme dans la *Vue de francpledge*, si les ponts et les chaussées étaient bien tenus et à qui incombait le devoir de les réparer (*Yearbooks of the reign of K. Edward I*, édition Horwood, 1863, etc., t. I, p. 75).

[47] Les duels de Thomas de Bruges n'étaient pas ceux des cas de félonie et de crime où il allait de la mort du vaincu; c'était seulement le duel *cum fuste et scuto*, qui nécessitait beaucoup moins souvent, comme on le pense, le remplacement du champion. La vingt-neuvième année d'Édouard III, un duel eut lieu par champions entre l'évêque de Salisbury et le comte de Salisbury. Quand les juges en vinrent, conformément aux lois, à examiner les vêtements des combattants, ils trouvèrent que le champion de l'évêque avait plusieurs feuilles de prières et d'incantations cousues à ses habits (*Yearbooks of Edward I*, années 32-33, p. 16). La visite des vêtements se faisait toujours et avait précisément pour but de découvrir ces fraudes, qui étaient considérées comme les plus dangereuses et les plus déloyales.

[48] Voir la représentation de seigneurs et de dames dictant leurs lettres à des scribes, et de messagers les remettant aux destinataires dans le manuscrit 10 E. IV, au British Museum (commencement du XIVe siècle), fol. 305 et suiv., et dans le manuscrit *Addit.* 12228, fol. 238 et suiv.

[49] *King Edward II's household and wardrobe ordinances*, 1323, édition Furnivall, Londres, 1876, p. 46.

[50] *Issue roll of Thomas de Brantingham*, édition Fr. Devon, Londres, 1835, 4°, pp. XXI, XXXII, XXXVII, XLIV, 408; *Issues of the exchequer*, 1837, pp. 220, 255. Des pages entières du rôle de Thomas de Brantingham (ex. pp. 154-155) sont remplies par des payements reçus par des messagers, ce qui montre l'usage fréquent qu'on devait faire de leurs services.

[51] *Issues of the exchequer*, p. 202.

[52] Langland, *The vision of William concerning Piers the Plowman*, édition Skeat, texte C, passus XIV, vers 44 et suiv.

[53] *Rotuli parliamentorum*, t. I, p. 48, 18 Éd. I.

[54] *Wardrobe accounts of Edward II.—Archæologia*, t. XXVI, pp. 321, 336 et suiv.

[55] Il suffit de parcourir Froissart pour se rendre compte de l'extrême fréquence de cet usage: Jean de Hainaut arrive à Denain: «Là se hébergea en l'abbaye cette nuit» (liv. I, part. I, chap. XIV); la reine débarque en Angleterre avec le même Jean de Hainaut: «.... et puis trouvèrent une grand'abbaye de noirs moines que on clame saint Aymon, et s'y herbergèrent et rafraîchirent par trois jours» (chap. XVIII); «là s'arrêta le roi et se logea en une abbaye» (chap. CCXCII); «le roi Philippe... vint en la bonne ville d'Amiens, et là se logea en l'abbaye du Gard» (chap. CCXCVI), etc.

[56] Publiés par Larking et Kemble, *The Knights Hospitallers in England*, Camden Society, 1857, 4°. C'est le texte d'un manuscrit retrouvé à Malte et intitulé: «Extenta terrarum et tenementorum Hospitalis Sancti Johannis Jerusalem in Anglia. A. D. 1338».

[57] «... Una cum supervenientibus, quia dux Cornubiæ juxta moratur» (pages 99, 101 et suiv.).

[58] *Statutes of the realm*, 3 Éd. I, chap. I.

[59] *Statutes of the realm*, années 1309 et 1315-1316 (*Articuli cleri*, 9 Éd. II, chap. XI).

[60] *Fleta*, liv. I, chap. XX.

[61] *Rotuli parliamentorum*, t. III, p. 501, année 1402.

[62] *Rotuli parliamentorum*, t. III, p. 46, ann. 1378. Le clergé, d'autre part, se plaint de ce que les shériffs viennent quelquefois «ove lour femmes et autre excessif nombre de gentz» s'installer dans les monastères sous prétexte de tournées pour le compte du roi. (1 Rich. II, 1377.)

[63] «Mensæ de medio remouentur.» Description d'un dîner en Angleterre, par Barthélemy de Glanville (XIVe siècle), *Bartholomi Anglici de rerum proprietatibus*, Francfort, 1601, 8°, liv. VI, chap. XXXII. Smollett, au dix-huitième siècle, note l'existence d'usages tout semblables en Ecosse: on dîne puis on dort dans le hall, où l'on a étendu des couchettes à la place des tables. (*Humphrey Clinker.*)

[64] Turner et Parker, *Domestic architecture in England from Edward I to Richard II*, Oxford, 1853, 8°, p. 75. Voir aussi dans l'*Archæologia*, VI, p. 36, la description avec dessins du hall royal d'Eltham.

[65] Eglogue III, dans l'édition publiée par la Percy society du *Cytezen and Vplondyshman*, 1847, 8°, p. LI.

[66] Le texte latin de leur compte de dépense a été publié par Thorold Rogers dans son *History of agriculture and prices*, t. II, p. 635.

[67] *Liber albus*, édition Riley, p. LVIII.

[68] Ce manuel a été publié par M. Paul Meyer dans la *Revue critique*, t. X, p. 373.

[69] Ms. 10 E. IV, fol. 114.

[70] Statut de 1285; 13 Éd. I (*Statutes of the realm*).

[71] *Statutes of the realm*, Londres, 1810, fol., t. I, p. 246.

[72]

«An haywarde and an heremyte, the hangeman of tyborne,

Dauwe the dykere with a dosen harlotes

Of portours and of pyke-porses, and pylede toth-drawers.

. . . .

Ther was lauhyng and lakeryng, and 'let go the coppe!»

Bargeynes and beuereges by-gunne to aryse,

And setyn so til evesong rang.»

The vision of William concerning Piers the Plowman, édition Skeat, Londres (Early english text society), 1873, 8°; texte C, *passus* VII, vers 361 et suivants.

[73] *Le Livre de la mutacion de fortune*, liv. III (ms. 603 à la Bibliothèque nationale).

[74] Voir un exemple d'ermite installé au coin d'un pont dans un acte royal qui maintient formellement les privilèges de l'«Heremyte of the brigge of Loyne *and his successours*» (4 Éd. IV, *Rotuli parliamentorum*, t. V, p. 546).

[75] Voir *supra* le rôle des clercs dans la collecte des offrandes, la garde et l'entretien des ponts (chap. I).

[76] 12 Rich. II, chap. VII (*Statutes of the realm*).

[77] *The vision of William concerning Piers the Plowman*, édition Skeat, texte C, *passus* I, vers 27, et *passus* X, vers 195.

[78]

Ac eremiten that en-habiten by the heye weyes,

And in borwes a-mong brewesters and beggen in churches.

Ibidem, *passus* X, vers 189.)

[79] *Passus* X, vers 140. Le matin il se lève quand bon lui semble et il se demande tout de suite où il pourra aller prendre son repas, ou bien qui lui donnera du lard, du pain, du fromage; il rapporte tout cela en sa maison et vit dans la paresse:

And when hym lyketh and lust hus leue ys to aryse;

When he ys rysen, rometh out and ryght wel aspieth

Whar he may rathest haue a repast other a ronnde of bacon,

Suluer other sode mete and som tyme bothe,

A loof other half a loof other a lompe of chese;

And carieth it hom to hus Cote and cast hym to lyue

In ydelnesse and in ese.

[80] *Passus* X, vers 208.

[81] *Passus* X, vers 251:

Ac while he wrought in thys worlde and wan hus met

He sat atte sydbenche and secounde table; [with treuthe,]

Cam no wyn in hus wombe thorw the weke longe,

Nother blankett in hus bed ne white bred by-fore hym.

The cause of al thys caitifte cometh of meny bisshopes

That suffren suche sottes.

[82] *Le Dit de frère Denise.* (*Œuvres complètes de Rutebeuf*, édition Jubinal, Paris, 1874, 3 vol. 12°, t. II, p. 63.)

[83] Ce texte a été publié dans l'*Archæological journal*, t. IV, p. 69.

[84] Richard II eut plusieurs fois à les renouveler et confirmer, mais sans effet. Dans son premier statut sur ce sujet, il constate le luxe de partisans dans lequel se complaisaient des gens assez pauvres: «pur ceo qe plusours gentz de petit garison de terre, rent ou d'autres possessions font grantz retenuz des gentz sibien d'esquiers come d'autres en plusours parties del roialme...» (1 Rich. II, chap. VII). Le troisième statut de la treizième année de Richard, celui de la seizième année (chap. IV), celui de la vingtième année (chap. I et II), sont également dirigés contre l'abus des livrées et le nombre des partisans des «seigneurs espirituels et temporels». (*Statutes of the realm.*) Henri VI renouvela inutilement ces statuts.

[85] 2 Rich. II, statut I, chap. VI. (*Statutes of the realm.*)

[86] Le tableau que présente ce statut est assez complet pour qu'il ne soit pas nécessaire de citer d'autres textes. Dans les pétitions adressées au parlement on trouvera de très nombreuses plaintes de particuliers pour des actes de violence dont ils ont été victimes, pour des emprisonnements du fait de leurs ennemis, des vols, des cas d'incendie, de destruction du gibier ou du poisson des parcs. Exemples: pétition d'Agnès d'Aldenby, qui est rançonnée par des malfaiteurs (*Rotuli parliamentorum*, t. I, p. 375); d'Agnès Atte Wode, battue ainsi que son fils et rançonnée (I, p. 372); des habitants de plusieurs villes du comté d'Hereford qui ont été emprisonnés et rançonnés par le chevalier Jean de Patmer (I, p. 389); de Jean de Grey, qui est attaqué par quinze malfaiteurs assez déterminés pour mettre le feu à une ville et donner l'assaut à un château (I, p. 397); de Robert Power, qui est rançonné et a son château saccagé, ses gens battus par des hommes «tut armez come gent de guerre» (I, p. 410); de Rauf le Botiller, qui a vu piller et brûler son château par 80 hommes venus pour cela avec armes et bagages, amenant des cordes et des haches sur des charrettes (II, p. 88), etc. En France, bien entendu, les méfaits de ce genre étaient encore plus nombreux, mais l'état de guerre y était alors continuel.

[87] *Rotuli parliamentorum*, t. II, p. 351.

[88] *Rotuli parliamentorum*, t. II, p. 201 (22 Éd. III, 1348).

[89] *Ibid.*, t. II, p. 165.

[90] Les pénitences de cette sorte n'étaient pas appliquées seulement aux hommes. Les femmes de toutes les conditions devaient s'y soumettre. On peut voir dans ce même registre palatin de Durham le cas d'Isabelle de Murley, condamnée pour adultère avec Jean d'Amundeville, mari de sa sœur, à recevoir publiquement «sex fustigationes circa forum Dunelmense» (t. II, p. 695). Autre exemple dans les *Constitutiones.... Walteri de Cantilupo, Wigornensis episcopi* A. D. 1240; Wilkins, *Concilia Magnæ Britanniæ et Hiberniæ*, Londres, 1737, 4 vol. fol., t. I, p. 668.

[91] Edition Aungier, Camden society, 1844, 4°, p. 42 (écrites par un contemporain des événements).

[92] *Articuli cleri*, 9 Éd. II, chap. X (*Statutes of the realm*).

[93] Il défend que les gardiens se tiennent dans le cimetière, à moins qu'il n'y ait un danger de fuite imminent. Le félon peut avoir dans l'église «necessaria vite» et il peut en sortir librement «pro obsceno pondere deponendo».

[94] *Statutes of the realm*, t. I, p. 250, texte de date incertaine, mais se rapportant probablement au règne d'Édouard II. D'après le *Fleta* (liv. I, ch. XXIX), au bout de 40 jours d'asile, si les malfaiteurs n'ont pas forjuré le royaume, on doit leur refuser la nourriture et il ne leur sera plus permis d'émigrer. Pour gagner le port, d'après la même autorité, le félon porte un costume qui le fait reconnaître; il est «discinctus, discalceatus, capite discooperto, in pura tunica, *tanquam in patibulo suspendendus*, accepta cruce in manibus».

[95] *Statutes of the realm*, 2 Rich. II, chap. III. On s'était déjà plaint de ces fraudes sous Édouard III. Une pétition des communes au parlement de 1376-1377 (*Rotuli parliamentorum*, t. II, p. 369) constate que certaines gens, après avoir reçu en prêt de l'argent ou des marchandises et avoir fait une prétendue donation de tous leurs biens à des amis, «s'enfuent à Westmonster, Seint Martyn ou autres tils places privilegeez, et illeoqs vivent long temps... tan qe lesdites creaunsours serront moult leez de prendre une petit parcelle de lour dette, et relesser le remenant». Alors les débiteurs rentrent chez eux et leurs amis leur rendent tous leurs biens.

[96] *Croniques de London*, 1844, 4°, Camden society, p. 42.

[97] *Ibidem*, p. 52.

[98] *History of the reign of king Henry the seventh.*

[99] *Rotuli parliamentorum*, 21 Éd. III, t. II, p. 178. Voir aussi la pétition des communes en 1330-1331, 25 Éd. III, t. II, p. 229.

[100] «Pur ceo qe nostre seigneur le roi, par suggestions meyns véritables, ad plusours foitz granté sa charte de pardon as larons notairs, et as communes murdrers, fesantz à lui entendre q'ils sont demorantz en ses guerres de outre

meer, là où ils sont sodeinement retournez en lour pays à perseverer en lour mesfaitz....» Le roi ordonne qu'on inscrira dans les chartes «le noun de lui qi fist la suggestion au roi». Et les juges devant qui cette charte sera présentée par les félons pour avoir leur liberté auront le pouvoir de faire enquête, et s'ils trouvent que la suggestion n'est pas fondée, ils tiendront la charte pour non avenue (*Rotuli parliamentorum*, t. II, p. 253, année 1353).

[101] Règlement de 1313 (*Munimenta academica, or documents illustrative of academical life and studies at Oxford*, éd. II. Anstey, Londres, 1868, 2 vol. 8°. Collection du Maître des Rôles, t. I, p. 91). La peine était la prison et la perte des armes.

[102] 5 Éd. III, ch. XIV.

[103] L'aïeul du roi actuel, lequel aïeul était Édouard Ier.

[104] Statut de Winchester; 13 Éd. I, ch. IV. *Statutes of the realm.*

[105] Cette faculté de faire courir sus à la première personne venue était, comme une foule de droits de ce temps, à la fois une garantie pour la sécurité publique et une arme dangereuse aux mains des félons. Des voleurs s'en servaient et il leur arrivait de faire emprisonner par ce moyen leur propre victime. Alisot, femme de Henri de Upatherle, expose au roi que son mari a été fait prisonnier par les Écossais à la bataille de Sterling, est resté plus d'un an leur captif, puis est revenu après avoir payé quarante livres de rançon. En son absence, Thomas de Upatherle et Robert de Prestbury s'emparèrent des terres qu'il possédait à Upatherle, se les partagèrent, abattirent les maisons et en tout agirent en propriétaires, emportant chez eux tout le bien qu'ils purent. Le retour du prisonnier vint les surprendre; dès qu'ils surent qu'il avait reparu sur ses terres, «le dit Thomas, par faus compassement entre luy et le dit Robert s'en leva hiewe et crie sur le dit Henry, et lui surmist qe il lui avoit robbé de ses chateux à la value de CLI». Ils furent crus: «le dit Henri fut pris et emprisoné en chastle de Glocestre longe temps,» en attendant la venue des *justices*, exactement comme le disait le statut. Henri finit par recouvrer sa liberté et obtint un bref contre ses ennemis; mais ceux-ci, informés à temps, vinrent trouver leur victime «et baterunt le dit Henri en la ville de Gloucestre, c'est asaver debrescerunt ses deux braaz, ses deux quises et ses deux jaunbes, et sa teste de chescun parte, et son corps tut naufré et vilement treté, qe a graunt peine eschapa la mort». La réponse du roi n'est guère satisfaisante: «Si le baron (mari) seit en vie, la pleinte est seon (sienne), et s'il seit mort, la pleinte de la femme est nulle» (*Rotuli parliamentorum*, t. II, p. 35, année 1330).

[106] *Diz de l'erberie. Œuvres*, édition Jubinal, 1839, t. I, p. 250; l'orthographe de la citation est modernisée.

[107] Recueil d'Isambert, t. III, p. 16, et t. IV, p. 676.

[108] Remède pour les maladies de la rate (*Rosa Anglica*).

[109] *Memorials of London*, documents se rapportant aux treizième, quatorzième et quinzième siècles, publiés par Riley, Londres, 1868, 8°, p. 466.

[110] *Rotuli parliamentorum,* 9 II. V, t. IV, p. 130.

[111] *Statutes of the realm*, 3 H. VIII, ch. XI, 32 H. VIII, ch. XLII, et 34-35 H. VIII, ch. VIII.

[112] *The Fox*, acte II, scène I (1605).

[113] *Coryat's crudities*, reprinted from the edition of 1611, Londres, 1776, 3 vol. 8°, t. II, p. 50. Coryat était parti de Douvres le 14 mai 1608.

[114] On s'habituait à lire les vers à haute voix au lieu de les chanter. Chaucer prévoit que son poème de *Troïlus* pourra être lu ou chanté indifféremment et il écrit, s'adressant à son livre:

So preye I to God, that non myswrite the,

Ne the mys-metere, for defaute of tonge!

And red wher so thow be, or elles songe,

That thow be understonde, God I beseche!

(Livre dernier, strophe CCLVIII.)

[115] *Sir Gawayne*, édition Morris, pp. 38 et suiv.

[116] Les manuscrits brillamment enluminés se multiplient; on les recherche et on les paye fort cher. Édouard III achète à Isabelle de Lancastre, nonne d'Aumbresbury, un livre de romans qu'il lui paye 66 livres 13 shillings et 4 pence, ce qui était une somme énorme. Quand le roi eut ce livre, il le garda dans sa propre chambre. (*Issues of the exchequer*, édition Devon, 1837, p. 144.) Richard II (*ibidem*, p. 213) achète pour 28 livres une bible en français, un Roman de la Rose et un Roman de Percival. Pour se faire une idée de ces prix, il faut se rappeler, par exemple, que, l'année avant qu'Édouard achetât son livre de romans, les habitants de Londres inscrivaient dans les comptes de la ville 7 livres 10 shillings pour dix bœufs qu'ils avaient donnés au roi, 4 livres pour 20 porcs et 6 livres pour 24 cygnes. (*Memorials of London and London life*, documents publiés par Riley, 1868, p. 170.)

[117]

He luffede glewmene well in haulle,

He gafe thame robis riche of palle

Bothe of golde and also fee;

Of curtasye was he kynge,

Of mete and drynke no nythynge

One lyfe was none so fre.

(*The Thornton romances; Isumbras*, éd. Halliwell.)

[118] Th. Wright, *Domestic manners and sentiments*, etc., 1862, 8°, p. 181.

[119] Année 40 Éd. III, *Issue rolls of the exchequer*, p. 188.

[120] Voir deux exemples de cas pareils dans l'introduction à l'*Issue roll of Thomas de Brantingham*, p. XXXIX.

[121] *A roll of the household expenses of Richard de Swinfield, bishop of Hereford*, edited by J. Webb, Camden society, Londres, 1854-1855, 2 vol. 4°, t. I, pp. 152 et 155.

[122] Texte C, *passus XII*, vers 35.

[123] Arthur, après un exploit de Gauvain, s'assied à son repas,

Wythe alle maner of mete and mynstralcie bothe.

Le deuxième jour que passe Gauvain chez le Chevalier Vert,

Much glame and gle glent vp ther-inne,

Aboute the fyre vpon flet, and on fele wyse,

At the soper and after mony athel songe[gh]

As condutes of kryst-masse, and carole[gh] newe,

With alle the manerly merthe that mon may of telle.

Le troisième jour,

With merthe and mynstralsye, with mote[gh] at hor wylle

Thay maden as mery as any men mo[gh]ten.

(*Sir Gawayne*, éd. Morris, 1864, pp. 16 et 53 et vers 1952.)

[124]

And so bifel that, after the thridde cours,

Whyl that this king sit thus in his nobleye,

Herkning his minstralles her thinges pleye

Biforn him at the bord deliciously.....

(*Squieres tale.*)

[125] Texte du contrat:

«Ceste endenture, faite le V jour de juyn, l'an tierce nostre sovereigne seigneur le roi Henri, puis le conquest quint, tesmoigne que John Clyff ministral, et autres XVII ministralls, ount resceuz de nostre dit seigneur le roy, par le mayns de Thomas count d'Arundell et de Surrie, tresorer d'Engleterre, XL l. s. sur lour gages a chescun de ceux XII d. le jour pur demy quarter de l'an, pur servir nostre dit seigneur le roy es parties de Guyen, ou aillours,» etc. Rymer, *Fœdera*, année 1415.

[126] *Fœdera*, sub anno 1387.

[127] *Ibidem*, sub anno 1464.

[128] *Issue roll of Thomas de Brantingham*; édition Devon, 1835, 4°, pp. 54 et suiv. et 296 et suiv. Ces pensions étaient accordées pour la vie.

[129] Wharton, édition d'Hazlitt, t. II, p. 98. Langland note de même le bon accueil que l'on faisait aux ménestrels du roi quand ils étaient de passage, afin de plaire au maître, qu'on savait sensible à ces marques de bon vouloir. (Voir la note suivante.)

[130]

Clerkus and knygtes welcometh kynges mynstrales,

And for loue of here lordes lithen hem at festes;

Much more me thenketh riche men auhte

Haue beggers by-fore hem whiche beth godes mynstrales.

(Texte C, *passus* VIII, vers 97.)

[131] Voir un dessin de cette galerie dans une miniature reproduite par Eccleston (*Introduction to english antiquities*, Londres, 1847, 8°, p. 221). Aux sons de la musique des ménestrels, quatre *hommes sauvages* dansent en faisant des contorsions, des bâtons sont par terre, sans doute pour leurs exercices; un chien saute au milieu d'eux en aboyant.

[132] Treizième siècle (*Album de Villard de Honecourt*, publié par Lassus et Darcel, 1858, 4°, planche IV).

[133] Francisque Michel, *La riote du monde*, etc., Paris, 1834, 8°, p. 28.

[134] On peut voir à la cathédrale d'Exeter les instruments de musique dont on se servait au quatorzième siècle, sculptés dans la *Minstrels' gallery* (série d'anges jouant de la musique).

[135] «.... de loco tamen ad locum in diebus festivalibus discurrunt et proficua illa totaliter percipiunt e quibus ministralli nostri prædicti, et cæteri ministralli nostri pro tempore existentes, in arte sive occupatione prædicta sufficienter eruditi et instructi, nullisque aliis laboribus, occupationibus sive misteris utentes, vivere deberent.»

[136] «Volumus ... quod nullus ministrallus regni nostri prædicti, quamvis in hujusmodi arte sive occupatione sufficienter eruditus existat, eadem arte... de cætero, nisi de fraternitate sive gilda prædicta sit et ad eandem admissus fuerit et cum fratribus ejusdem contribuerit, aliquo modo utatur.»

[137] Rymer, *Fœdera*, 24 avril 1469.

[138] *Rotuli parliamentorum*, t. III, p. 508.

[139] Les ballades concernant Robin Hood ont été recueillies par Ritson: *Robin Hood ballads*, 2 vol., Londres, 1832. La grande majorité des chants qui nous sont parvenus sur ce héros n'est malheureusement que du seizième siècle; mais il en est quelques-uns d'antérieurs; sa popularité au quatorzième siècle était très grande.

[140] *The wyf of Bathes tale* (68 vers sur l'égalité des hommes et sur la noblesse); de même dans le *Persones tale*: «Eeck for to pride him of his gentrie is ful gret folye.... we ben alle of oon fader and of oon moder; and alle we ben of oon nature roten and corrupt, bothe riche and pore» (édition Morris, t. III, p. 301).

Cf. ces vers d'une pièce française du même siècle (cités dans le Discours sur l'état des lettres au quatorzième siècle, *Histoire littéraire de la France*, t. XXIV):

Nus qui bien face n'est vilains,

Mès de vilonie est toz plains

Hauz hom qui laide vie maine:

Nus n'est vilains s'il ne vilaine.

[141] «Sicut lex justissima, provida circumspectione sacrorum principum stabilita, hortatur et statuit ut, quod omnes tangit ab omnibus approbetur, sic,» etc., *Fœdera*, sub anno 1295. Les appels directs d'Édouard Ier à son peuple contribuèrent à développer de bonne heure chez les Anglais le sens des devoirs, des droits et des responsabilités politiques. Dans une de ses

nécessités, alors que le parlement existe à peine, il en vient à expliquer sa conduite au peuple et à se justifier: «...Lui rois, sur ceo, et sur l'estat de lui, e de sun reaume, e coment les busoignes du reaume sunt alées à une pies, fait asavoir e voet que tutz en sachent la vérité, laquelle s'enseut...» *Fœdera*, sub anno 1297.

En France, les proclamations de principes très libéraux sont fréquentes dans les édits royaux, mais ces grands mots ne sont qu'un leurre, et on prend à peine le soin de le dissimuler. Dans son ordonnance du 2 juillet 1315, Louis X déclare que, «comme selon le droit de nature chacun doit naistre franc», il a résolu d'affranchir les serfs de ses domaines, mais il ajoute qu'il le fera pour de l'argent; et trois jours après, craignant que son bienfait ne soit pas suffisamment prisé, il ajoute de nouvelles considérations où la philosophie intervient encore d'une étrange manière: «Pourroit estre que aucuns par mauvez conseil et par deffaute de bons avis, charroient en desconnessance de si grant benefice et de si grant grace, que il voudroit mieus demourer en la chetivité de servitude que venir à estat de franchise, nous vous mandons et commettons que vous de telles personnes, *pour l'aide de nostre présente guerre*, considérée la quantité de leurs biens, et les conditions de servitude de chascun, vous en leviez si souffisamment et si grandement comme la condition et la richesse des personnes pourront bonnement souffrir et *la nécessité de nostre guerre le requiert.*» (Recueil d'Isambert, t. III, p. 102.)

[142] «.... Quorum adeo error invaluit, ut a præclaris domibus non arceantur, etiam illi qui obscenis partibus corporis oculis omnium eam ingerunt turpitudinem, quam erubescat videre vel cynicus,» etc. (*Polycraticus*, liv. Ier, chap. VIII.)

[143] *Historical papers from the northern registers*; édition Raine (Collection du Maître des rôles).

[144]

Ich can nat tabre ne trompe ne telle faire gestes,

Farten ne fithelen at testes ne harpen,

Japen ne jogelen ne gentilliche pipe,

Nother sailen ne sautrien ne singe with the giterne.

Édition Skeat, (texte C, *passus*, XVI, vers 200.)

[145] Wright donne dans ses *Domestic manners and sentiments*, 1862, p. 167, la reproduction des miniatures de deux manuscrits du British Museum, qui représentent la danse d'Hérodiade sur les mains.

[146] *Issue rolls of the exchequer*, édition Devon, p. 212.

[147] *The Nut-Brown Maid*, Skeat, *Specimens of English Literature*, Clarendon Press, 1871.

[148] Statut de Winchester, 13 Éd. I, chap. IV, confirmé par Édouard III (*Statutes of the realm*).

[149] «Item videtur nulla esse utlagarda si factum pro quo interrogatus est civile sit et non criminale.» (Bracton, Collection du Maître des rôles, t. II, p. 330.)

[150] *Yearbooks of Edward I*, années 30-31, p. 533 (Collection du Maître des rôles).

[151] *Yearbooks of Edward I*, années 30-31, pp. 537-538.

[152] Liv. I, chap. XXVII.

[153] Bracton, t. II, pp. 340-342.

[154] *Yearbooks of Edward I*, années 30-31, p. 515. Quelquefois on profitait de l'absence de son ennemi sur le continent pour affirmer au magistrat qu'il était en fuite et le faire déclarer outlaw: ainsi, le clerc Jean Crochille se plaint au parlement d'avoir été mis injustement hors la loi pendant un voyage qu'il avait fait en cour de Rome, 1347 (*Rotuli parliamentorum*, t. II, p. 171); le clerc Robert de Thresk est de même déclaré outlaw pendant son absence du royaume «par malice de ses accusours». (*Ibidem*, même année, p. 183.)

[155] *Yearbooks of Edward I*, années 21-22, p. 447.

[156] D'après Seebohm (*The Black Death and its place in English History*; deux articles dans la *Fortnightly Review* en 1865), plus de la moitié de la population mourut pendant l'année 1348-1349. Voici le tableau frappant que trace Knyghton, un contemporain, de la peste à Leicester: «Et moriebantur quasi tota valitudo villæ....valde pauci erant qui de divitiis vel quibuslibet rebus curam agerent.... Et oves et boves per campos et inter segetes vagabant.... sed in sulcis deviis et sepibus morte perierunt numero incomputabili.» A l'automne, la main-d'œuvre est hors de prix et une partie de la récolte est laissée sur pied (*Decem scriptores* de Twysden; col. 2598).

[157] *Rotuli parliamentorum*, t. II, p. 233. Cf. les ordonnances françaises; celle de Jean, de cette même année (Recueil d'Isambert, t. IV, p. 576), prescrit aux «gens oiseux» de Paris de travailler ou de s'en aller, ce qui était moins radical et encore moins utile que les règlements anglais. Une autre ordonnance de Jean (nov. 1354) est dirigée contre les ouvriers qui vont de ville en ville chercher de gros gages, partout «où les ordonnances ne sont mie adroit gardées» (*Ibid.*, p. 700). Ils sont menacés de la prison, du pilori et du fer rouge.

[158] *Rotuli parliamentorum*, t. II, p. 261; parlement de 1354.

[159] Statut, 34 Éd. III, chap. IX, année 1361-2.

[160] *Rotuli parliamentorum*, t. II, p. 312 et 340.

[161] *Rotuli parliamentorum*, p. 340; parlement de 1376.

[162] Langland montre, de même, le mendiant éhonté qui va, sac sur le dos, quêter de porte en porte, et qui pourrait fort bien, s'il voulait, gagner son pain et sa bière en travaillant; il sait un métier, mais il préfère ne pas l'exercer:

. . . .

And can som manere craft in cas he wolde hit vse,

Thorgh whiche crafte he couthe come to bred and to ale.

(Texte C, *passus* X, vers 151.)

[163] *Statutes of the realm*, 23 Ed. III, chap. VII.

[164] *Rotuli parliamentorum*, t. III. pp. 17, 46, 65.

[165] *Statutes of the realm*, 7 Ric. II, chap. V.

[166] *Statutes*, 12 Ric. II, chap. III.

[167] Voir au British Museum, dans un manuscrit des décrétales (10 É. IV), la représentation d'un moine mis dans des ceps; un autre moine lie l'extrémité des poutres avec des cordes (fol. 222). Voir aussi ces instruments de torture dans Foxe, *Actes and monuments*, Londres, 1562, fol., pp. 390, 1272, etc.

[168] *Gleanings from the public records*, par M. H. Hewlett, dans l'*Antiquary* de mars 1882.

[169] 12 Rich. II, chap. VII.

[170] 12 Rich. II, chap. VII.

[171] *Statutes*, 13 Rich. II, chap. XIII.

[172] Walsingham, *Historia anglicana*, sub anno 1381.

[173] *The statutes at large*, édition O. Ruffhead, Londres, 1763, t. I, pp. 53 et 343, 3 Éd. I, ch. XXXIV, et 2 Rich. II, ch. V.

[174] *Rotuli parliamentorum*, t. III, p. 294.

[175] 5 Rich. II, st. 2, chap. V.

[176] On l'a souvent considéré comme un Wyclifite; mais, de même que beaucoup de ses pareils, il ne partageait pas toutes les idées du maître, et en

avait d'autres, de son côté, qui lui étaient propres; ainsi, suivant lui, les enfants naturels ne pouvaient aller au ciel.

[177] *Chronicon Angliæ*, 1328-1388, édition Thompson, 1874, 8°.

[178] *English prose treatises of Richard Rolle de Hampole*, édition Perry, Londres, 1866, 8°.

[179] Jack Straw, d'après la confession que rapporte de lui son contemporain le moine, Thomas Walsingham, n'aurait voulu conserver d'autres religieux sur la terre que les frères mendiants: «Soli mendicantes vixissent super terram qui suffecissent pro sacris celebrandis aut conferendis universæ terræ.» (*Historia anglicana*, 1867-1869, t. II, p. 10.)

[180] *The vision of William concerning Piers the Plowman*, édition Skeat, texte C, *passus XXIII*, vers 274.

[181] *The vision of William concerning Piers the Plowman*, texte C, *passus XVII*, vers 352.

[182] Thomas d'Eccleston, auteur du *Liber de adventu minorum in Angliam* (publié par Brewer dans ses *Monumenta franciscana*), vit la période la plus florissante des ordres moindres. Son livre est d'une naïveté extrême et abonde en récits de visions et de faits merveilleux. La vision dont il est question ici se trouve à la page 28 des *Monumenta.*

[183] Matthieu Paris, *Historia Anglorum*, Londres, 1866, 3 vol. 8°, t. III, p. 145.

[184] *Speculum vitæ B. Francisci et sociorum eius*; opera fratris G. Spoelberch. Anvers, 1620, 1re partie, chap. IV.

[185] Il y avait à peine trente ans que les frères avaient paru en Angleterre et ils y possédaient déjà quarante-neuf couvents (*Monumenta franciscana*, édition Brewer, Londres, 1858, 8°, p. 10). On trouvera dans Matthieu Paris un très bon exposé du rôle des frères mineurs en Angleterre à leur arrivée dans ce pays, de la vie pauvre, humble et utile qu'ils menèrent d'abord. *Historia Anglorum*, édition Madden, Londres, 1866, 3 vol. 8°, t. II, p. 109.

[186] Voir la *Defensionem curatorum contra eos qui privilegiatos se dicunt* (4°, sans date), discours prononcé en 1357 par Richard Fitz-Ralph, archevêque d'Armagh, et où sont dénoncés les empiètements successifs des frères mendiants au détriment des curés et autres ecclésiastiques.

[187] *Monumenta franciscana* ut supra; pp. 514 et suivantes. Cette bibliothèque avait été fondée par le célèbre Richard Whittington maire de Londres en 1397, 1406 et 1419.

[188] Il y avait dans la même église le cœur de la reine Éléonore, mère d'Édouard Ier. En rapportant qu'il y fut déposé, le moine Rishanger, un

contemporain, fait la cruelle remarque suivante, que Walsingham ne manque pas de reproduire dans son *Historia anglicana* (sub anno 1291-1292): «Sepultum est itaque corpus ejus in monasterio Ambresburiæ, cor vero Londoniis, in ecclesia fratrum minorum; qui sicut et cuncti fratres reliquorum ordinum aliquid de corporibus quorumcumque potentium morientium sibimet vendicabant, more canum cadaveribus assistentium, ubi quisque suam particulam avide consumendam expectat.»

[189] «Freres bylden mony grete chirchis and costily waste housis, and cloystris as hit were castels, and that withoute nede... grete housis make not men holy, and onely by holynesse is god wel served.» (*Select english works*, t. II, p. 380.)

[190] *Monumenta franciscana*, p. 541. De là les reproches des satiristes.

Of thes frer mynours me thenkes moch wonder,
That waxen are thus hauteyn, that som tyme weren under.

Th. Wright, *Political poems and songs*, Londres, 1859, 2 vol. 8°, t. I, p. 268, chanson de la deuxième moitié du quatorzième siècle.

[191] Ms. 10 E. IV. au British Museum, fol. 109 et suivants.

[192] «En le mesme temps (20 Éd. II) les frères prechours se mistrent à le fuite pur ceo qe ils se doterent estre maubailiz et destrutz, pur ceo qe le comunalté les avoyent mult encountre queor (cœur) pur lour orgelousse port, qu'ils ne se porteient come frères duissent.» (*Croniques de London*, Camden society, p. 54.)

«Sciatis quod intelleximus qualiter aliquæ personæ de regno nostro Angliæ, per instigationem maligni spiritus... faciunt et in dies facere nituntur dampna et scandala dilectis nobis in Christo religiosis viris fratribus de ordine minorum.... moventes populum nostrum in aperto et in secretis contra eos, ad destruendum domos dictorum fratrum, dilacerando habitus eorum super eos, et aliquos verberando et male tractando, contra pacem nostram....» (Proclamation de Richard II en 1385. Rymer, *Fœdera*, édition de 1704, t. VII, p. 458.)

[193] 20 Éd. III, 1346, *Rotuli parliamentorum*, t. II, p. 162.

[194] «... Bi siche resouns thinken many men that thes lettris mai do good for to covere mostard pottis.» (*Select english works*, t. III, p. 381.) Autre allusion à ces lettres dans les *Political poems* publiés par Wright, 1859, t. I, p. 257.

[195] *Eulogium historiarum*, édition Haydon, Collection du Maître des rôles, Londres, 1858, 3 vol. 8°, t. III, p. 391, année 1402.

[196] Holinshed, *Chronicles*, Londres, 1587, 5 vol. fol., t. III, p. 945. Ce frère avait refusé le serment de suprématie.

[197] D'après Hardy: *Registrum palatinum Dunelmense*, Introduction.

Théodore, archevêque de Cantorbéry, au neuvième siècle, dressa une sorte de tarif de ces échanges: «Pro uno mense quem in pane et aqua pœnitere debet psalmos mille ducentos flexis genibus decantet.—Item, alio modo, duodecim triduanæ singulæ cum psalteriis tribus impletis et cum palmatis trecentis per singula psalteria excusant unius anni pœnitentiam.—Centum solidi dati in eleemosynam annum excusant.» (*Theodori archiepiscopi Cantuariensis pœnitentiale*, dans la *Patrologie* de Migne, t. XCIX, col. 938 et 940.)

Halitgarius, aussi au neuvième siècle, s'occupa de même de dresser des tables de pénitences: «Pro uno mense, quem in pane et aqua jejunare debet, psalmos mille ducentos genibus flexis, vel sine genuum flexione mille DLXXX psalmos decantet.» Il ajoute qu'on continue de même, s'il y a lieu, pour toute la première année de pénitence, soit 20 160 psaumes à chanter si on ne se met pas à genoux. (*Halitgarii episcopi Cameracensis liber pœnitentialis*, dans la *Patrologie* de Migne, t. CV, col. 706).

[198] Voir *Chaucer's pardoner and the pope's pardoners*, by Dr J. J. Jusserand. London, Chaucer society, 8o.

[199]

Suche glaring eyghen hadde he as an hare.

[200] «Cum sit statutum in canone, ne qui eleemosynarum quæstores ad prædicandum aut indulgentias clero et populo insinuandum sine literis dioecesanis aut apostolicis admittantur, literæque apostolicæ quæstoribus hujusmodi concessæ ante admissionem eorum per dioecesanos examinari debeant diligenter; ex gravi tamen multorum querela ad nostrum pervenit auditum, quod nonnulli ex hujusmodi quæstoribus, non sine multa temeritatis audacia, motu suo proprio, in animarum subditorum nostrorum periculum et jurisdictionis nostræ elusionem manifestam, indulgentias populo concedunt, super votis dispensant, et perjuriis, homicidiis, usuris et peccatis aliis, sibi confitentes absolvunt, et male ablata, data sibi aliqua pecuniæ quantitate, remittunt ac alias abusiones quamplurimas faciunt et exponunt....» (*Registrum palatinum Dunelmense*, édition Hardy, t. III.)

[201] *Prologe of the pardoner.*

[202] «Excommunicatis gratiam absolutionis impendit. Vota peregrinationis ad apostolorum limina, ad Terram Sanctam, ad Sanctum Jacobum non prius remisit quam tantam pecuniam recepisset, quantam, juxta veram æstimationem, in eisdem peregrinationibus expendere debuissent, et ut cuncta concludam brevibus, nihil omnino petendum erat, quod non censuit, intercedente pecunia, concedendum» (*Historia anglicana*; Collection du Maître des rôles, t. I, p. 452).

[203] V. J. J. Jusserand, *Le Théâtre en Angleterre depuis la conquête jusqu'aux prédécesseurs immédiats de Shakespeare* (1066-1583), 2e éd., Leroux, 1881, ch. IV.

[204] «Perciocche divotissimi tutti vi conosco del baron messer santo Antonio, di spezial grazia vi mosterrò una santissima e bella reliquia, la quale io medesimo già recai dalle sante terre d'oltremare; e questa è una delle penne dello agnolo Gabriello, la quale nella camera della Virgine Maria rimase quando egli la venne ad annunziare in Nazzaret.»

[205] «Egli primieramente mi mostrò il dito dello Spirito Santo, cosi intero e saldo come fu mai; ... e una dell'unghie de' gherubini; ... e aliquanti de' raggi della stella che apparve à tre magi in oriente, e una ampolla del sudore di San Michele quando combattè col diavolo.» (*Décaméron*, journée VI, nouvelle X.)

[206] *The Leofric Missal* (1050-1072) éd. F. E. Warren (Clarendon press.)

[207] *Historia anglorum*, éd. Madden, Londres, 1866, 3 vol. 8o, t. III p. 60.

[208] *Issues of the exchequer*; éd. Devon, pp. 176 et 141.

[209] *Le livre des fais et bonnes meurs du sage roy Charles*, éd. Michaut, Paris, 1836, 2 vol. 8o, t. I, p. 633, ch. XXXIII.

[210] Psautier de la reine Marie (commencement du quatorzième siècle), ms. 2. B VII, au British Museum. Cette allégorie était un sujet favori parmi les miniaturistes et on la retrouve dans beaucoup d'autres mss.

[211] Labbe, *Sacrosancta concilia*, édition de Florence, t. XXV, col. 1177, et t. XXVI, col. 462. En 1419, Henri Chicheley, archevêque de Cantorbéry, prescrit des prières publiques, des litanies et des processions pour protéger le roi d'Angleterre et son armée contre les opérations néfastes des magiciens (Wilkins, *Concilia Magnæ Britanniæ*, t. III, p. 393).

[212] «Si masculus quisquam voluerit, ut est moris, ejusdem defuncti vel defuncte nocturnis vigiliis interesse, hoc fieri permittatur, dumtamen nec monstra larvarum inducere, nec corporis vel fame sue ludibria, nec ludos alios inhonestos presumat aliqualiter attemptare.» (Toulmin Smith, *English gilds, the original ordinances*, etc., p. 194).

[213] «.... Araneis et aliis vermibus nigris ad modum scorpionum, cum quadam herba quæ dicitur millefolium et aliis herbis et vermibus detestabilibus.» (*The proceedings against Dame Alice Kyteler*, 1324; édition Wright, 1843, 4o, Camden Society.)

[214] *The chanounes yemannes tale.*

[215] Tout le livre VII de sa *Confessio amantis* est consacré à l'exposition d'un système du monde et à la description de la nature intime des êtres et des

substances qu'il est difficile de connaître. Le *Roman de la rose* n'est pas moins explicite sur ces matières (confession de *Nature* à *Genius*).

[216] *De proprietatibus rerum*, liv. XVI.

[217] *Les amants magnifiques.*

[218] Les confesseurs donnaient fréquemment comme pénitence un pèlerinage à faire, et prescrivaient parfois qu'on voyageat soit nu-pieds soit en chemise, sinon même tout à fait nu: «Comune penaunce,» dit, dans son grand sermon, le *parson* de Chaucer, «is that prestes enjoynen men comunly in certeyn caas, as for to goon peradventure naked in pilgrimage or barfot,» (*Works*, éd. Morris, t. III, p. 266.)

[219] Cousin d'Édouard II, exécuté en 1322. Froissart, n'a aucun doute sur l'authenticité de ses miracles: «.... le comte de Lancastre qui moult étoit bon homme et saint, et fit depuis assez de beaux miracles au lieu où il fut décolé.» (1re partie, liv. I, chap. V.) Le corps de Charles de Blois fait aussi des miracles et Froissart imagine qu'Urbain V le canonisa: «lequel corps de lui sanctifia par la grâce de Dieu, et l'appelle-t-on saint Charles; et l'approuva et canonisa le pape Urbain V[e], qui régnait pour le temps; car il faisoit et fait encore au pays de Bretagne plusieurs miracles tous les jours.» (Liv. I, part. 2, chap. CXCI.)

[220] «.... Non absque homicidiis aliisque lætalibus verberibus.... et de majoribus periculis verisimiliter imminentibus multipliciter formidatur....» (Année 1323. *Historical papers from the northern registers*; édition Raine, p. 340).

[221] L'archevêque écrit en effet dans ce sens au pape (Jean XXII), le 24 février 1327 (*Historical papers from the northern registers*, p. 340.)

[222] *Memorials of London*, Riley, 1868, 8°, p. 203. L'influence miraculeuse du même Thomas de Lancastre est constatée encore par l'auteur contemporain des *Croniques de London* (Camden Society, p. 46) et par beaucoup d'autres.

[223] On avait construit une chapelle sur la «mountaigne» où le comte avait été décapité. Les offrandes que les pèlerins y apportaient furent, en 1334, le sujet d'un curieux démêlé entre le prieur et le couvent de Pontefract, d'une part, et le seigneur de Wake, d'autre part, lequel seigneur avait «occupé la dite chapele et les offrandes illukes venauntz, et [avoit] pris les clefs devers lui.» Le prieur et le couvent, dans une pétition au parlement, réclament l'«administration de ces offrandes», comme «choses espirituels deinz lour paroche et apendauntz à lour église». (*Rotuli parliamentorum*, t. II, p. 84.)

[224] «Ne.... pro sancto vel justo reputetur, cum in excommunicatione sit defunctus, sicut sancta tenet ecclesia.» *Dictum de Kenilworth*; *Select charters*, publiées par Stubbs, 1870, p. 410.

[225]

Salve Symon Montis Fortis,

Tocius flos milicie,

Duras penas passus mortis,

Protector gentis Anglie.

. . . .

«Ora pro nobis, beate Symon, ut digni efficiamur promissionibus Christi.» Hymne composée peu après la mort de Simon, et citée en note de la p. 48, t. II de l'*History of English poetry* de Wharton, édition Hazlitt, 1871, 4 vol. 8°.

[226] Rymer, *Fœdera*, édition de 1704, t. IV, p. 20.

[227] *Fœdera*, t. XIV, p. 1033. A peine Édouard III était-il monté sur le trône que les communes demandèrent la canonisation de Thomas de Lancastre (Pétition au parlement, 1 Ed. III, année 1326-7; *Rotuli parliamentorum*, t. II, p. 7).

[228] Patente de Richard II, la dix-neuvième année de son règne, en appendice dans l'essai de M. Karkeek, *Chaucer's schipman and his barge «the Maudelayne»*, Chaucer society, Londres, 1884.

[229] Les étrangers, comme les Anglais, avaient une grande vénération pour saint Thomas de Cantorbéry et allaient faire offrande à sa châsse quand ils pouvaient. Le 3 août 1402, un décret du sénat vénitien autorisa Lorenzo Contarini, capitaine des galères vénitiennes en partance pour les Flandres, à visiter cette châsse conformément à son vœu. Il devait le faire quand les galères seraient à Sandwich, et aller et revenir en un jour, n'ayant pas le droit de dormir hors de son vaisseau. (*Calendar of state papers and mss. relating to english affairs existing in the archives and collections of Venice and in other libraries of northern Italy*; edited by Rawdon Brown, Londres, 1864, 8°, t. I, p. 42.)

[230] *Ordinance for the state of the wardrobe and the account of the household*, Juin 1323 (*King Edward II's household and wardrobe ordinances*, Chaucer society, éd. Furnivall, 1876, p. 62.)

[231] L'auteur de la suite des *Canterbury Tales* (commencement du XVe siècle) montre les pèlerins, une fois arrivés à Cantorbéry, achetant de ces sortes de médailles, *signys* ou *brochis*. C. Roach Smith en décrit plusieurs des treizième et quatorzième siècles, et il en donne le dessin (*Journal of the archæological association*, t. I, p. 200). Le pardonneur de Chaucer avait un vernicle à son chapeau.

[232] *Les louenges du roy Louys XII de ce noms*, nouvellement composées.... par maistre Claude de Seyssel, docteur en tous droits, Paris, 1508, 4°.

[233] Ces histoires des pèlerins et des voyageurs revenant de pays étrangers, Chaucer les avaient bien souvent entendues; loin d'y croire, il en avait ri. Pèlerins, matelots, messagers rivalisaient de son temps dans leurs récits de merveilles lointaines:

And, lord! this hous in alle tymes

Was ful of shipmen and pilgrimes,

With scrippes bret-ful of leseyngs,

Entremelled with tydynges,

And eke allone be hemselve,

O, many a thousand tymes twelve

Sangh I eke of these pardoners,

Currours and eke messangers,

With boystes crammed ful of lyes:

As ever vessel was with lyes.

(*House of Fame*, vers 1031.)

[234] Voir le dessin de cet anneau dans le tome VIII du *Journal of the archæological association*, p. 360. Le bâton ou bourdon et le sac ou «écharpe» étaient les insignes notoires des pèlerins. Dans le roman de *King Horn*, le héros rencontre sur sa route un *palmer*, et, pour se déguiser, change d'habits avec lui; dans cette transformation, l'auteur ne signale que les points caractéristiques, c'est-à-dire le bâton et le sac:

Horn tok burdon and scrippe.

(*King Horn, with fragments of Floriz and Blauncheflur*, ed. by J. R. Lumby, Early english text society, 1866, 8°.)

[235] 12 Ric. II, chap. 7, *Statutes of the realm*.

[236] *Rotuli parliamentorum*, 13 Rich. II, t. III, p. 275.

[237] Pétition des bourgeois de Calais, *ibidem*, t. III, page 500, 4 Henri IV, 1402.

[238] Lettre de M. J. W. Hales à l'*Academy*, Avril 1882.

[239] L'auteur des voyages connus sous le nom de *Voyages de Mandeville* avait vu la tête d'Amiens et fut bien surpris d'en rencontrer une autre à Constantinople. Quelle est la vraie? se demande-t-il: «I wot nere, but God knowethe: but in what wyse that men worschippen it, the blessed seynt John holt him a payd.» (Édition Halliwell; p. 108.)

[240] *Paston letters.* Lettre de Marguerite Paston du 20 sept. 1443.

[241] Rocamadour était bien connu des Anglais; voir la *Vision concerning the Piers Plowman* (édition Skeat), texte B, *passus XII*, vers 37.

[242] *Le livre du chevalier de la Tour Landry pour l'enseignement de ses filles*, éd. Montaiglon, 1854.

[243] William Wey, au quinzième siècle, mentionne ainsi les catacombes: «Item ibi est una spelunca nuncupata Sancti Kalixti cimiterium, et qui eam pertransit cum devocione, illi indulgentur omnia sua peccata. Et ibi multa corpora sanctorum sunt, que nullus hominum numerare nequit nisi solus Deus.» (*The itineraries of William Wey*, Roxburghe club, p. 147.) Wey, comme l'auteur du poème, mentionne quelquefois des nombres prodigieux de corps de martyrs; à l'église dite *Scala Celi*, «sunt ossa sanctorum decem millia militum»; dans une seule partie de Saint-Pierre de Rome, il y a «Petronella et xiij millia sanctorum martirum».

[244] Dans un autre texte du poème, publié par M. Furnivall en 1866 (*Political, religious and love poems*), on trouve plus de détails sur cette idole; elle avait un chapeau ou couvercle de cuivre qui fut arraché par le vent et emporté à la basilique de Saint-Pierre.

[245] William Wey (XVe siècle) dit de l'église de la Sainte-Croix: «Item ibi sunt duo ciphi, unus plenus sanguine Jhesu Christi, et alter plenus lacte beate Marie Virginis.» (*Itineraries*, p. 146.) Ceux qui boivent aux trois fontaines qui jaillirent à la mort de saint Paul sont guéris de toutes les maladies; ceux qui visitent l'église de Sainte-Marie de l'Annonciation ne seront jamais frappés de la foudre; à l'église Sainte-Viviane il y a «herba crescens quam ipsa plantavit et valet contra caducum morbum». (*Ibidem*, pp. 145-147.)

[246] Dans la chapelle Borghèse.

[247] Toulmin Smith, *English gilds; the original ordinances*, etc., pp. 157, 177, 180, 182, 231.

[248] *Issues of the exchequer*, p. 159.

[249] *Chronica monasterii de Melsa*, édition de E. A. Bond, Londres, 1868, 3 vol. 8°. L'abbé de Meaux prétend que Clément VI répondait aux reproches de son confesseur sur ses mauvaises mœurs: «Quod facimus modo facimus consilio medicorum» (t. II, p. 189).

[250] T. III, p. 88.

[251] «Quo quidem anno (1350) venerunt in Angliam poenitentes, viri nobiles et alienigenæ, qui sua corpora nuda usque ad effusionem sanguinis nunc flendo, nunc canendo, acerrime flagellabant: tamen ut dicebatur, nimis hoc faciebant inconsulte, quia sine licentia sedis apostolicæ.» (Walsingham, _Historia anglicana_. Collection du Maître des Rôles, t. I, p. 275.) Cf. Robert de Avesbury, _Historia Edvardi tertii_, Oxonii, 1720, 8°, p. 179: les flagellants se fouettaient avec des cordes à noeuds garnies de clous; ils se prosternaient à terre, les bras en croix et en chantant.

[252] Les flagellants furent condamnés par Clément VI en 1350; il prescrivit aux archevêques, évêques, etc., de les faire emprisonner (Labbe, _Sacrosancta concilia_, édition de Florence, t. XXV, col, 1157).

[253] Lettre de l'archevêque d'York à son official (_Historical papers from the northern registers_, édition Raine, pp. 397-399). Les coupables n'étaient pas des vagabonds sans importance: l'un a le titre de _magister_; l'autre est professeur de droit civil.

[254] «Nam quidam illorum credebant, ut asseritur, nullum Deum esse, nihil esse sacramentum altaris, nullam post mortem resurrectionem, sed ut jumentum moritur, ita et hominem finire.» (*Historia anglicana*, t. II, p. 12.) Langland se plaint de même du scepticisme des nobles qui mettent les mystères en question et font de ces graves matières le sujet de conversations légères après les repas. (texte C, *passus XII*, vers 35.)

[255] *Les louenges du roy Louys XII*, par Claude de Seyssel. Paris, 1508, 4°.

[256] *A collection of the wills.... of the kings and queens of England*; édition Nichols, Londres, 1780, 4°. Testament d'Humphrey de Bohun, comte d'Hereford et d'Essex, mort en 1361.

[257] Robert de Avesbury, *Historia Edvardi tertii*, édition Hearne, Oxford, 1720, 8°, p. 63.

[258] *Ibidem*, p. 115.

[259] Langland parle des Sarrasins sans les maudire: ils pourraient être sauvés; c'est Mahomet qui les a trompés, par colère de n'avoir pu être pape; on devrait les convertir; le pape fait bien des évêques de Nazareth, de Ninive, etc., mais ils se gardent d'aller visiter leurs ouailles indociles. (Texte C de l'édition de Skeat, *passus XVIII*, pp. 314-318.)

[260]

To sleen and fighten they us bidde

Hem whom they shuld, as the boke saith,

Converten unto Cristes feith.

But herof have I great merveile,

How they wol bidde me traveile.

A Sarazin if I slee shall,

I slee the soule forth withale,

And that was never Cristes lore.

(*Confessio amantis*, édition Pauli, t. II, p. 56.)

[261] Elle mourut le 4 novembre 1360. (*A collection of the wills*, etc., édition Nichols, 1780, 4o.)

[262] «Et sachetz que ieo vsse mis ceste liverette en latyn pour plus briefment deviser, mes pour ceo que plusours entendont mieultz romanz que latin, ieo lai mys en romanz pour ceo que on l'entende et que li seignours et li chiualers et lez autres nobles hommes qui ne scevent point latin ou poi et qui ount esté outre mer sachent et entendent si ieo dye voir ou noun.» Ms. *Sloane*, 1464, fol. 3, au British Museum (ms. du commencement du XVe siècle). V. *infra*, p. 239.

[263] Dans sa traduction du *Polychronicon* de Ralph Higden, Collection du Maître des rôles.

[264] *La manière de langage* texte publié par M. Paul Meyer dans la *Revue critique*, t. X, p. 373. Ce manuel est l'œuvre d'un Anglais. La dédicace est datée du 29 mai 1396.

[265]

What man under his powere

Is bore, he shall his place chaunge

And seche many londes straunge

And as of this condicion

Upon the londe of Alemaigne

Is set and eke upon Britaigne

Which now is cleped Englonde

For they travaile in every londe.

(*Confessio amantis*, t. III, p. 109.)

[266] «Et hinc secundum astronomos lunam habent planetam propriam, quæ in motu et lumine est magis instabilis.» (*Fasciculi Zizaniorum*, édition Shirley, p. 270.) Caxton, au moment de la Renaissance, considère également la lune comme étant par excellence la planète des Anglais: «For we englysshe men ben borne vnder the domynacyon of the mone, whiche is neuer stedfaste but euer wauerynge. (Prologue de son *Boke of Eneydos compyled by Vyrgyle*, 1490.)

[267] *Polychronicon Ranulphi Higden*, edited by C. Babington, Londres, 1865, 8°, t. II, p 166.

[268] Jean le Maingre, dit Boucicaut, plus tard maréchal de France.

[269] Rymer, *Fœdera*, t. V, p. 777. Ces lettres devaient être délivrées assez fréquemment, car on trouve qu'elles sont rédigées d'après une formule uniforme, comme nos passeports. Voir celle que Rymer donne encore t. VII, p. 337, année 1381. En novembre 1392, le comte de Derby (le futur Henri IV) se trouvait à Venise et partait de là pour aller en Terre Sainte; il avait, pour la république, des lettres d'Albert IV, duc d'Autriche, et le Grand Conseil lui prêtait une galère pour faire son voyage. C'était aussi de Venise qu'était parti pour la Palestine Thomas Mowbray, duc de Norfolk, en février 1398-1399; il s'était présenté au Sénat vénitien muni d'une lettre de Richard II. (*Calendar of state papers relating to english affairs.... existing in [various] libraries of Italy*, publié par Rawdon Brown, 1864, etc., 8°, p. LXXXI.)

[270] *Historical papers from the northern registers*, édition Raine, p. 425.

[271] *Chronique* de Monstrelet, liv. I, chap. VIII.

[272] Les voyages appelés *Voyages de Mandeville* ont été sûrement écrits au quatorzième siècle, en français, puis ils ont été traduits en latin et en anglais. La partie relative à l'Egypte, à la Palestine et à la Syrie semble seule avoir pour fondement un voyage véritable. L'article «Mandeville» par MM. E. B. Nicholson et le colonel Yule dans la nouvelle édition de l'*Encyclopædia Britannica* (neuvième éd.) ainsi que la lettre de M. E. B. Nicholson dans l'*Academy* du 12 avril 1884 font connaître le dernier état de la question.

[273] Ms. *Sloane* 1464 (British Museum.)

[274] On achetait cela près de l'église Saint-Marc et on avait le tout pour 3 ducats, y compris les draps et les couvertures. Le voyage fait, le vendeur vous reprenait ces objets pour un ducat et demi: «Also when ye com to Venyse ye schal by a bedde by seynt Markys cherche; ye schal have a fedyr bedde, a matres, too pylwys, to peyre schetis and a qwylt, and ye schal pay iij dokettis; and when ye com ayen, bryng the same bedde to the man that ye bowt hit of and ye schal haue a dokete and halfe ayen, thow hyt be broke and worne.» (*Itineraries of William Wey*, ut infra.)

[275] *The Itineraries of William Wey, fellow of Eton College, to Jerusalem, A. D. 1458 and A. D. 1462 and to Saint James of Compostella A. D. 1456.* Londres, 1857, 4o, *Roxburghe Club.* Dans son premier voyage, Wey partit de Venise avec une bande de 197 pèlerins, qui furent embarqués sur deux galères.

[276] P. 19.

[277] On peut voir actuellement cette carte exposée dans les vitrines de la Bodléienne à Oxford]

[278] «For in the lawyst [stage] vnder hyt is ryght smolderyng hote and stynkynge» (*A good preuysyoun*, au début du livre.)

[279] «For thow ye schal be at the tabyl wyth yowre patrone, notwythstondynge ye schal oft tyme haue nede to yowre vytelys, bred, chese, eggys, frute, and bakyn (bacon), wyne and other, to make yowre collasyvn: for svm tyme ye schal haue febyl bred, wyne and stynkyng water, meny tymes ye schal be ful fayne to ete of yowre owne.» (*A good preuysyoun.*)

Il sera même prudent d'emporter une cage avec des poulets dedans: «Also by yow a cage for half a dosen of hennys or chekyn to have with yow in the galey.» Il ne faut pas oublier un demi-boisseau de graines pour les nourrir.

[280] «Also take goyd hede of yowre knyves and other smal thynges that ye ber apon yow, for the sarsenes wyl go talkyng wyth yow and make goyd chere, but the wyl stele fro yow that ye haue and they may.»

[281] M. Stubbs, à qui on doit le meilleur livre qui existe sur l'histoire constitutionnelle d'Angleterre (*The constitutional history of England*, 1880, 3 vol. 8o), a beaucoup trop de mépris pour le quatorzième siècle, auquel il oppose sans cesse le treizième:

«We pass from the age of heroism to the age of chivalry, from an age ennobled by devotion and self sacrifice to one in which the gloss of superficial refinement fails to hide the reality of heartless selfishness and moral degradation, an age of luxury and cruelty,» etc. (t. II, p. 679.) De pareilles vues, que beaucoup ont adoptées à la suite de l'éminent historien, ne sauraient être admises. Il faut du moins les considérer comme s'appliquant seulement à une partie de la haute classe de la société.

Milton Keynes UK
Ingram Content Group UK Ltd.
UKHW042225180324
439698UK00005B/482